山陰研究ブックレット13

地域社会の 持続可能性 を問う

山陰の暮らしを
次世代につなげるために

植木　洋

佐藤　桃子

宮本　恭子

田中　輝美

飯野　公央

毎熊　浩一

関　耕平

藤本　晴久

目　次

地域社会の持続可能性を問う
―山陰の暮らしを次世代につなげるために―

　本書のテーマは、「みんなで山陰地域の持続可能性を考える」ことである。

　ちょうど10年前（2014年）、「地方消滅」という言葉が、世間を騒がせた。日本創成会議が発表した「このままでは全国896の地方自治体が消滅する可能性がある」というショッキングなシミュレーション結果は、人口減少や高齢化、地域経済の衰退、公共施設の統廃合や行政サービスの低下などの課題に直面していた地方に大きな動揺をもたらした。その後、この議論を下地にして、「まち・ひと・しごとの創生と経済の好循環の確立」を掲げた「地方創生」政策（2014年）や、「心ゆたかな暮らし」（Well-being）と「持続可能な環境・社会・経済」（Sustainability）を謳った「デジタル田園都市国家構想」（2021年）などが展開されてきた。しかし、これらが実施されても、地方の疲弊感は改善されておらず、日々の生活や将来に希望がみえない状況が続いている。こうした事態を打開するためにはどうすればよいのか、また、地域を豊かにし、山陰の暮らしを次世代に繋げていくためには何が必要なのか、この問いを模索することが本書の目的である。

　ところで、「持続可能な地域社会」への探求は、「地方消滅」や「地方創生」以前から既に始まっていた。日本では、「内発的発展（Endogenous Development）」論の中で積極的に議論され、学術的な蓄積も豊富である。代表的論者である鶴見和子、宮本憲一、保母武彦、小田切徳美などの知見を参考にすれば、地域の持続可能性を高めるための本質的要素は、「地域の内発性の醸成」にある。つまり、「地域資源」、「環境保全」、「地域産業連関」、「住民参加」や「住民自治」などをベースとした地域発展である。

　しかし、この間、地域の内発性を基礎とした政策が展開されているとは言い難い状況が生まれている。例えば、「地方創生」政策下では、「地方版総合戦略」の策定が各自治体に求められていたが、7～8割の自治

5

体がその作成を都市圏のコンサルタントに外部委託する事態が起きていた（宮﨑雅人（2021）『地域衰退』、岩波新書、p.143）。そのため、多くの地方版総合戦略が「金太郎飴」のように、変わりばえしないものとなっていた。たとえ、域外の業者が依頼地域の実態について精通していたとしても、政策策定の主体は、地域自身でなければならないだろう。「地域のことは地域で決める」という地方自治の精神を実現し、持続可能な地域社会を展望するためには、まず、私たちが自らの地域を分析し、地域政策の主導権を握っていくことが大切である。

　とはいえ、地域は人間の生活の場（生活領域）であるがゆえに、実に多様な要素から成り立っている。そのすべてをすぐに分析することは難しいため、今回は、主に「まちづくり・むらづくり」（第1部）、「ひとづくり」（第2部）、「しごとづくり」（第3部）の3つの柱を中心にし、それぞれの領域に関わる課題や論点を検討した。本書では、山陰地域の抱える様々な論点を、研究者による学術的な視点と現場で奮闘されている方々の実践的な視点から掘り下げつつ、課題解決のための具体的な提言や方向性などを紹介している。本書の論文やコラムはどれも、山陰の暮らし、人々の営みや動き、まちづくりやむらづくりの在り方に深く切り込んでいるので、ぜひご一読いただきたい。

　なお本書は、島根大学法文学部山陰研究センターの研究プロジェクト「持続可能な地域社会構築のための地域政策に関する研究」（代表：藤本晴久、2022〜2023年度）及び島根大学戦略的機能強化推進経費プロジェクト「子ども・若者の孤立・貧困問題への文理融合アプローチ」（代表：宮本恭子、2021〜2022年度）の研究成果の一部である。本書の刊行に当たり、多くの方々からご支援とご協力を頂いた。心から感謝申し上げる。次の世代に豊かな地域社会を引き継ぐために、私たちは何をなすべきか、地域一丸となって真剣に考えていく必要がある。本書が、その一助となれば幸いである。

2024年3月

執筆者を代表して　藤本晴久

第1部

"まちづくり・むらづくり" の実践と展望

「自分ごと化会議in松江」の「協議会」本番

馬蹄形に並べられたテーブルを囲むのは、無作為で選ばれた「普通」の市民。名コーディネーターによる進行のもと、真剣で等身大の対話が交わされている。

第1章

「自分ごと化会議」の手引き
── ヨリ多い民主主義を期して

島根大学法文学部　毎 熊 浩 一

はじめに

　近年、「自分ごと化」という言葉をよく耳にする。「他人ごと」の蔓延が様々な社会問題の原因と目されているからだろう。気候変動しかり、格差問題しかり…。「地方創生」も例外ではない。なるほど誰かが、ではなく、自分が、という当事者意識がいま求められている。

　筆者は、まさにその名を冠した「自分ごと化会議」（以下、JGK）というプロジェクト（以下、PJ）にここ5年ほど関わってきた。本稿の狙いは端的に、このJGKを推奨することにある。意義も効果も確信するからであるが、それ自体を詳論する紙幅はない。ひとまず拙稿［2022］を参照されたい。また、JGKは政治学等で「ミニ・パブリクス」と総称されている仕組みに属す。これについては、OECD［2023］が世界各国の事例も豊富で参考になる。さらに、背景には近年「くじ引き民主主義」として知られる理論的潮流もある。入門書として吉田［2021］が便利であろう。

　では改めてJGKとは何か。無作為で選ばれた住民が社会問題や地域課題について話し合う場（ないしその場づくりのためのPJ）のことである。発案したのは「構想日本」（以下、JI）で、「自分ごと化会議」という用語もJIの登録商標（第6049269号）である。2014年、福岡は大刀洗町を皮切りに、23年末時点で全国30自治体、都合61回、開かれている[1]。このうち本稿が主に扱うのは、松江で取り組まれてきた「自分ごと化会議in松江」（以下、JGKiM）である。これが他と異なるのは、市民の手にな

る点である。全国では一部の議会・会派を除きすべて行政によって主催されているなか、松江だけが唯一の市民主催なのである。これまで二期が完了、いま現在、第Ⅲ期が進行中である。

　各シーズンは概ね次のような流れである。主催する実行委員会を結成し、テーマを決める。選挙人名簿をもとに無作為抽出によって市民に呼びかけを行う。それに応じた参加者が集まり、5回前後の協議会を経て最終的に提案書をまとめる。それを各所に提出し、報告会等を行ったうえで当期の活動を終了する。表1は、主要な特徴をまとめたものである。

　以下では、8つの局面ないし論点を取り上げ、それぞれについてJGKiMでのエピソードを交えながら、実践にあたっての留意点やチップスを記すこととする[2]。

表1　「自分ごと化会議in松江」全三期の概要

	第Ⅰ期	第Ⅱ期	第Ⅲ期
テーマ	原発を自分ごと化する	自然エネルギーってどげかね？	学校給食から「子ども」と「食」を考える
期間	2018.3 - 2019.7	2019.9 - 2022.8	2022.9 - 進行中
協議会回数	4回	6回	5回
参加者数	26人（うち学生5人）	24人（うち学生5人）	21人（うち学生5人）
抽出件数	2,176	2,199	2,178
事業規模	約230万円	約100万円	約150万円（見込み）
行政の後援	なし	松江市	松江市　松江市教育委員会

1．実行委員会

　気勢を削ぐつもりはないが、「市民主催」というのはハードルが高いらしい。事実、松江が動き出してからもう5年以上経つけれども、「次」が現れない。視察や相談はありながら、である。確かに松江、特に第Ⅰ期は稀有な例外であったかもしれない。いかにも上首尾すぎた。巷間、形

だけのそれもみられるなか、実行委員会がしかと機能した[3]。いまから振り返るとそれは、委員会の構成が団体によるものだったことが大きいように思われる。

　具体的には、言い出しっぺの市民団体が事務局長と広報・会計を引き受け、それまでの市民活動経験を活かしながら組織的に引っ張った。それを、本家本元のJIがノウハウの提供からロジ周りまで全面的に支えた。両団体の役員を務めていたJGKiM共同代表の福嶋の存在も大きかった。そこに、半ば偶然の出会いから筆者主宰の行政学ゼミが加わる。学生の若いパワーは無論、大学のもつ信用性が備わったことになる。つまり、我々は「かなり恵まれていた」（福嶋談）。なるほど「次」に躊躇いがみられるのも、わからないではない。

　では、どのような体制があれば十分か。率直にわからない。が、手前味噌ながらこの小論が一つのモノサシとなるのではないか。冒頭ふれたように、第一の執筆意図はJGKを「推す」ことである。だが、同時に一定の品質保証も企図している。JGKにはそれなりの水準がある。だから限られた紙幅のなか、実践上の具体的困難もそれなりに記した。その意味で、この「手引き」は「掟」でもある。読了後に自ら脈が感じられるのなら、きっと問題ないだろう。

　蛇足ながら、我々もいまは随分と様子が違う。第II期以降、委員会の構成は基本的に個人に変わった[4]。逆に言えば、第I期にみられたような組織的なコミットメントはもはやない。無論、一定の人的継続性やノウハウの継承はあるものの、第III期は相対的に学生が増えたこともあってか、特に当初はドタバタした。筆者自身の負担感も「実働」も多く、いわば「手づくり感」は過去最高となっている。しかし、他ならぬ学生の活躍もあって大過はない。徐々にもろもろ円滑にもなってきた。ちょうど昨日、つまり本稿締切前日の1月21日、第4回協議会を（そしてまた校正作業中の2月18日には千秋楽を）成功裏に終わらせたところである。

2．テーマ選定

　JGKで扱うテーマは様々にあり得る。実際、全国の実例をみると、総合計画、子育て、コミュニティ施設、公共交通、ゴミ問題など、実に多岐にわたっている。ただ、「市民主催」の場合、また、とりわけ初めてトライする場合、二つの「ならでは」を意識されるとよいのではないか。

　まずは、文字通り「市民ならでは」である。逆に言えば、行政だと扱いそうにないテーマということになる。ここで改めてJGKの狙いを確認しておきたい。二つある。一つは勿論、自分ごと化の促進。いま一つは、テーマにかかる課題の改善（直接にはそのための提案）である。行政主催においては後者に重点が置かれやすい。ミスターJGKともいうべき伊藤（後述）も、「行政の場合、出口をより意識する」という。ここで「出口」とは、具体的な政策や仕組みとの接続を意味している。これは確かに行政主催の強みである。

　だが、一方の「自分ごと化」という観点からすると「出口」にそう拘らない方がいいだろう。例をあげよう。第Ⅰ期は、原発そのものをテーマにしたのであって、島根原発2号機の再稼働を問うたものではない。結果として提案が「はっきりしない」との不満も一部見られたが、逆に、賛否自体の議論からは生まれなかったであろう珠玉の意見が多く聞かれた。「提案書」のなかに例えば「自分たちの生活の中で、エネルギーの使い方を見つめ直し、無駄をなくす」が含まれたのは、その象徴であろう。傍聴者からも、まさに「賛成、反対の二項対立でない会議の場がよかった」とか「自分自身も会議に参加したような気持ちになり、自分のこととして考えられました」といった賛辞が寄せられた。要するに、市民主催の場合、広く関心喚起や問題提起につながるようなテーマこそが「らしい」と言えるのではないか。

　さて、もう一つはその「地域ならでは」である。JGKは、無作為抽出という手続き自体にも斬新さがあるのではあるが、それだけでは十分に

人々の耳目は集められない。訴求力の大半はテーマに宿る。つまり、「あ、なるほどそれか」と広く肯いてもらえるようなものが望ましい。松江ではまさに原発がそうだった。全国で唯一原発が立地する県庁所在地である。島根県庁は原発から10km圏内にある。やや単純化すれば、一部の脱原発派が大きな声をあげるなか賛成派は粛々と事を進め、巷では話題自体が忌避されている、そんな構図があった。タブーとは蓋をされた一大関心事である。JGKにはもってこいであった。

ともあれ、テーマに「正解」などない。結果何になるにせよ、選定過程で熟議することが重要だろう。丁寧なプロセスには自ずから「ならでは」が胚胎するはずである。因みに、第Ⅲ期では初の試みとして、協議会の始まる約一年前にキックオフイベント（「Next自分ごと化プロジェクト」）を開催し、実行委員以外の市民もテーマ選定に関われるよう、投票やアンケートを行った。

3．無作為抽出

無作為抽出はまさにJGK最大の特徴と言ってよい。それだけに不安や疑念も集まりやすい。以下では三点取り上げる。

第一に、そもそもどうすればいいのか。市民だと住民基本台帳は使えないので、「選挙人名簿」を利用する。ごく簡素な手続きを踏めば、どの地域でも使えるものである。ただ、デジタル処理できる行政と違って、市民は手作業を余儀なくされる。撮影もコピーも禁止されているため、相応のマンパワーが必要となる。抽出作業当日のボランティアを募るといいだろうし、作業の効率化のためにも会場の下見は欠かせない。なお、「選挙人」名簿であるから18歳未満が対象とならないことには留意する必要がある[5]。

第二に、十分な応募があるのか。松江は三期いずれも1％を下回った。低い。全国の平均が約4％であるから、やはり低い。得体のしれない団体から突然手紙が届くのであるから、しようがないとも言えよう。その

点で行政より不利ではある。ただ、松江の場合、１％というのは想定外だったわけではない。もともと行政主催の最低値等を参考にそう見込んでいたのであった。加えて、協議会の適正規模を20人程度と設定した。ここから簡単な算数で、声をかけるのは約2,000人と弾き出せる。そして幸か不幸か読みがあたったわけである。つまり、より重要なことは、協議会をどれくらいの規模として想定するか、であろう。極端な話、率を１％と見込み50人集めたければ5,000人に呼びかければすむ話である。

　しかし、これが第三の疑念に結びつく。その程度の人数で意味があるのか。なるほど一般に、無作為抽出の正当性は統計学的代表性に求められる。ランダムに選ぶことで、その母集団（松江市なら松江市）の性質に近いサンプル、つまり「縮図」が得られるとされるわけである。その点、松江はどうか。そもそも20人という少人数である。この要請を厳密には満たせていない。

　けれども、実践上はそう神経質にならずともよいのではないか。経験的に言って、明らかな逸脱値（端的に、「普通」でない人）はないし、極端なバイアス（例えば、同じような人ばかり……）も見られない。比較的若者や女性が目立つが、社会全体を俯瞰すればむしろマシな偏りと言えよう。最近とくに、性別や年齢などの統計学的多様性だけでなく、ものの見方や考え方などの「認知的多様性」の重要性も説かれている［マシュー2021］が、その点でもJGKiMの協議の現場は明らかに豊かである。したがって、実践的には、統計学的な厳密さに拘泥するより、応じてくれた市民に敬意を表し、その対話の場を実質化することに傾注する方が賢明だと思われる。

　あえて蛇足……。無作為抽出は縮図を生み出すための精密な道具というより、一種のイニシエーションして捉えてはどうか。ひとは普段、性別、年齢、肩書などなど、多くの社会性をまとって暮らしている。それらを脱がし、何の代表でもない生身の自分としてのスイッチを入れてくれる、そんな通過儀礼が無作為抽出なのかもしれない。

4．全体工程

　よく驚かれることだが、JGKにはシナリオがない。予め落とし所も決まってない。とはいえ、全く白紙というわけではない。一定の見通しは持っている。PJ全体は大きく三段階と見込む。「準備」、「本番（協議会）」、「事後活動」である。準備段階では、テーマ決め、記者会見、無作為抽出、郵送などを行う。事後活動とは、提案書の提出、報告会、決算処理などである。期間は、それぞれ半年ほど、したがって1シーズンはおよそ1年半かかる。なお、実行委員会は平均月1ペースである。

　本番たる協議会にも、基本的なパターンがある。「学び」、「対話」、「提案」である。参加者は必ずしもプロではない。一定の情報共有から始める必要がある。したがって、序盤は専門家等によるインプットが中心となる。中盤では、比較的フリーに意見交換を行う。そして終盤、提案に向けて詰めていく。そんな流れである。以上を、図1にまとめておく。

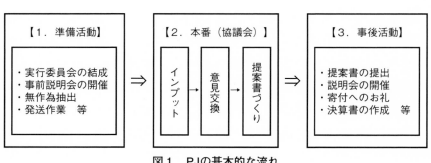

図1　PJの基本的な流れ

　実質的な意味で見通しが欠かせないのは、主にインプットのため、と言ってよい。誰にどんな情報を提供してもらうのか。実行委員会では、テーマにかかる主要な論点の見当をつけ、それぞれに適した専門家や実践者を検討する必要がある。例えば、「学校給食」をテーマにした第Ⅲ期では、大きく3つのサブテーマ（地域の農業のあり方、子どもの貧困、

教育の画一性）を設定し、第2回協議会に三人の話題提供者を招くこと、そして第1回はこれらを包括しうる基調講演を企画した。実務的に言えば、ゲストのアポ取りのためにも、また、参加者募集チラシに間に合わせるためにも、本番開始数ヶ月前にはこの程度の目処はつけておかねばならない、ということになる。

　もっとも、あくまで見通しであって計画は詰めすぎないほうがよい。例えば、第Ⅰ期では、初協議会での参加者の声を受けて早速第2回の予定を組み直し、話題提供者4人全員に急遽再登壇してもらうこととなった。また第Ⅱ期では、最終回となるはずであった回で参加者の総意により延長が決まった。正直、運営側としてはハラハラするのであるが、この「あそび」が、PJ全体のダイナミズムと参加者のコミット感を生み出す一要因となっているのは疑いないだろう。

5. 協議会本番

　協議会では、参加者がいかに自由に対話できるか、が最も重要である。そして対話の要諦は、端的に「自分を持ち寄ること」［中原2022：位置No.1581］にある。だから松江での合言葉は常にこうである。「ありたいを話そう（べき論は専門家に任せたらいい）」[6]。

　しかし、言うは易し……。主催者としてはあれこれ尽くさなければならない。まずもって「心理的安全性」の確保である。この点すぐに思い起こされるのは第Ⅰ期。原発がテーマであったため、特に傍聴席からのヤジが懸念された。が、結果、荒れなかった。拙稿［2022：267］でも論じた通り、一つには実行委員会のゆるぎない姿勢が効いたのである。それは外部への厳しい態度だけでなく、自身を律するという意味でもある。例えば、委員会は中立を徹底しなければならないし、議論の中身に踏み込むようなこともあってはならない。李下に冠も正さない。ロジ的には、会場選び、机の配置、記録のとり方などにも最大限の配慮が必要である。

　とはいえ、本番が始まれば全てはコーディネーターの肩にかかる。つまり、そのコーディネート力が協議会の成否を握る。実はこれがまた実務上の大きな難題である。そうそう担えるものではないからである。筆者も学術的な議論の場から選挙の討論会まで、これに類する役割はそれなりに経験してきたが、なかでもJGKの場は特に難しいと感じる。何が難しいかの説明も難しいのだが、伊藤の言葉を借りるなら、それは「ちゃんと問うこと」である。「さもなくば、参加者の本音、本質を引き出せない」。これがそう簡単にでき（そうに）ない。自身の価値観や知識が（おそらく大部分アンコンシャスレベルで）邪魔をするからである。

　松江はここでも幸運に恵まれていた。他ならぬ伊藤が常に務めていたからである。しかしこれは、(松江の今後も含め) JGKの普及活動にとっては現実的な、そして深刻な課題であることを意味している。大元のJIも、それは認識しつつも、マニュアルでの「養成」は難しいとして本格的には対処できていないという。

　ではどうすればいいのか。妙案はない。見つけてくるしかないだろう。実際、全国にはいま15名ほどのJGKコーディネーターがいるようだが、これもJIが様々な現場で「発掘」してきているという。ひとまずそれしかない。幸い、伊藤［2021：98-103］が心得やテクニックをいくらか披露してくれている。書を捨てず、まちに出よ。コーディネート力チェックリストを作り、仲間を探しにいこう。

6．提案書

　協議会のあとは必ず「提案書」をまとめる。第Ⅰ期では大きく９つの、第Ⅱ期では５つの「提案」を行った。限られた時間のなか相当の労力を要する大変な作業であるが、一定の作法はある。簡単に解説しておこう。鍵を握るのは、「改善提案シート」である。第２回協議会からさっそく参加者に記入してもらう。原則、会議の終了間際、その場で、である。鉄は熱いうちにというわけである。整理したものは次の回に「中間とりま

とめ」（表2）として提示する。以降も同様である。この積み上げの延長に「提案書（案）」がある。最終回では、それをもとに協議がなされる。最後、完成版に向けての清書は協議会終了後、実行委員会に預けられることとなるが、参加者にはぎりぎりまで「意見提出」の機会が設けられ、委員会の独断で実質的な加筆修正をすることはない。

表2　改善提案シート「中間とりまとめ」（例）

1　食育による健全な食生活の実現

課題①		子どもが自分で栄養を考えながら食べ物を選ぶ力を養える環境になっていない（今の農業体験ではあまり効果がない）
改善提案	個人の取り組み	● 子どもと栄養や食品添加物について話し合う。 ● 子どもと一緒に料理する。 ● 料理や栄養バランスなど子どもに任せてみる。 ● 子どもと一緒に庭で野菜を育てる。 ● 色々な食材を使う。 ● 食の関心を高める。自分自身の食生活を見直す（食事の栄養素に気を使うなど）。 ● 食を教えるのではなく食の大事さをいつの間にかわかってもらえるような伝え方をする。
	地域の取り組み	● 地域の子どもと収穫や調理を行う。 ● 食育に関する地域人材の活用について検討する。
	行政の取り組み	● 給食の時間や授業の中で、食育や食の選択性、食は体を作る資本であることなど「食」に対する考え方を教える（本当に必要な人は自分から情報にアクセスしてくれないからこそ小さい頃からの教育は大切）。 ● 植える、収穫するだけでなく栽培にも関われる授業を行う（今は苗を植えて、稲を刈るだけの体験で食べ物を生産することが伝わっていない）。 ● 学校での食育を推進するため各学校への働きかけを行う。

【その他の意見】
● 子どもの中には食の栄養にあまり興味がない子がいる（食べきる作業になっている）。
● 食育を教育現場に頼りすぎているのではないか。

【出典】第Ⅲ期第4回協議会（2024.1.21）配布資料から抜粋

　ところで、提案書に対してはともすれば、要領を得ないといった指摘もあるかもしれない。確かに、重複もあれば冗長な感もするし、この種の提案書と比べてやや洗練さに欠けるようにも見える。だが、あえてそうしているのである。伊藤の言葉を借りれば、一人ひとりの「におい」を大事にしている。

　そもそも模範的な提案書とはどのようなものだろうか。一般的には、

重要ポイントが絞られ、ときに優先順位も示され、その一つ一つに過不足のない説明がつけられているようなものであろうか。けれども、そうするには当然「軽重」の判断や「優劣」の評価が必要になる。また、選択も抽象化も常に捨象とセットである。つまり、洗練すればするほど、一人ひとりの「ありたい」が削られていく。これはJGKiMの趣旨に反する。冗長であっても重複があっても、一つ一つの言葉には、協議会参加者一人ひとりの思い、背景、経験などが詰まっている。じっくり味わってもらいたいし、そんな味わいの提案書にすることが重要であると考える[7]。

7．資金調達

　活動には当然先立つものがいる。第Ⅰ期は約230万円かかった。最大の支出は旅費（主に伊藤を含むJIスタッフの東京松江往復）である。当時は、協議会本番だけでなく実行委員会にもほぼ毎回リアル参加していた。これがコロナ禍でかなわなくなる。かくして第Ⅱ期の経費はおよそ100万円まで圧縮された。なお、旅費の次に大きな支出は、二期とも郵送費と会場費でそれぞれ約20万円である。その他、講師謝金やチラシ・報告書等の印刷費などがかかっている。

　一方、収入の多くは寄付による。なかでも大半をクラウドファンディング（以下、クラファン）で賄った。第Ⅰ期、第Ⅱ期それぞれ、100万、50万の目標を達成でき、総額でも赤字は免れた。多方面からのご支援には感謝しかないが、少なからぬ幸運ないし無理があったことも確かである。第Ⅰ期は構成団体からの比較的まとまった拠出に救われたし、第Ⅱ期の支出が大幅に抑えられたのがコロナのおかげ（?）だったのは先程述べた通りである。クラファンではとかく「身内」が「自腹」を切る傾向にあるが、JGKiMでも例外ではなかった。

　そういうこともあって、お金について我々が助言できることはほとんどない。ただ、近年では非営利のファンドレイジング（資金調達）を学べる機会も書籍も少なくない。詳細はそれらに委ね、ここでは2つのエ

ピソードを紹介するにとどめたい。

　一つ、第Ⅱ期では「公益財団法人しまね自然と環境財団」から15万円弱の助成金を得たが、申請自体は別の財団にも行っていた。が、結果、自ら辞退した。主たる理由は、採択要件として「新規性」を要求されたためである。曰く「テーマが変わっただけで基本的に第Ⅰ期と同じではないか。何か新しいことを付加せよ」。むしろ「継承」こそが価値だと考える我々には受け容れる余地はなかった。魂までは売れないということである。無論、新たな試み自体を拒むものではない（事実、試みている）。

　二つ、第Ⅲ期にして初めて学生たちが資金調達に深くコミットした。まずは基礎知識を習得すべく外部のファンドレイジングセミナーを受講し、不十分ながらも自分たちなりのプランを立てた。その後、SNSでの宣伝やイベント等での募金活動はもちろん、企業などにも足を運んで協力を呼びかけた。なお、第Ⅲ期ではクラファンにあたって民間プラットフォームではなく、島根県庁の「社会貢献基金」を利用したが、そのきっかけを作ったのも学生たちである。

　なるほど結果的には目標額100万円の75%にとどまった（ただしAll-In方式のため「未達成」というわけではない）。しかし、協議会当日、さもなくば接点すらなかったであろう企業関係者の姿が会場にあった。傍聴にきてくれたのである。俗に、ファンドレイジングは「ファン度レイジング」ともいう。学生たちの活動はその原点を再認識させてくれている。

8．行政との関係

　市民主催であるといっても、行政と無関係であるわけではない。第Ⅱ期、第Ⅲ期とも、松江市からは「後援」を得た。また、話題提供のため、第Ⅱ期では環境政策課に、第Ⅲ期では学校給食課に登壇してもらい、加えて、協議会内外で参加者からの質問にも応答頂いている。

　一方、第Ⅰ期では後援は断られた。「市が後援することにより、当該会議の内容があたかも現時点における市の方針や考え方であるかのよ

な誤解を招くおそれ」がある、というのが理由である。加えて、提案書を持参しての市長（松浦氏）との面談についても、当初は「原発関連団体とは会わない方針である」として拒否されたのだった。対して第Ⅱ期。先述した後援と話題提供だけでなく、第5回協議会においては市長（上定氏）挨拶まで見られたほどであるから、随分と関係はよくなった。なぜ好転したのか。

　特別なことはしていない。普通に相談し、必要に応じて足を運んだり、先方の要求に応じて書類を出したりしただけである。実行委員のなかには、比較的顔が広かったり利いたりする者がいないではないが、意図的にかかる特権を行使したことはない。無論、一般的な市民活動でもビジネスでもそうであるように、それ相応の準備をして「交渉」にはあたる。この面で各実行委員のもつ経験や知見は確かに心強いが、基本的には正攻法で公明正大に臨んできた。

　ところで、そもそも行政と仲良くすること自体が目的であるわけではない。重要なことは、関係構築を通じてよりよい社会につなげることができるか、である。その点ではやはり、現実の政策への影響力が気になるところであろう。残念ながら、いまのところ明確な手応えがあるわけではない。例えば、第Ⅰ期「提案書」は総じて市民による一層の熟議を訴えたものであったが、また県知事とも松江市長とも直に手交する機をも得たけれども、およそ3年後、両者は島根原発2号機の再稼働に合意、その過程での住民投票条例の直接請求も退けられた。市民主催の一つの限界といえるかもしれない。

　しかし、全く無力だったわけではない。行政主催ではあるが、2020年12月から一年間、原発発祥の地・東海村で自分ごと化会議が開かれた。この端緒は、村の職員がJGKiMの傍聴にきたことに遡る。また、第Ⅱ期では、全協議会が終わった後、学生参加者だけで自ら集い自主的に協議し最終的に「学生自分ごと宣言」をまとめるのだが、それが契機となってのちに学生と松江市長との意見交換会が実現。さらには、松江市の「再生可能

エネルギービジョン」（23年）策定過程にも一部関わることとなった。

　市民主催の場合、確かに公式な権限はないけれども、様々なやり方、いろいろなルートで影響を及ぼそうとすることはできる。その積み重ねがまた影響力を高めることになるであろう。

おわりに

　ここにきて身も蓋もないようなことを言うようだが、筆者自身、基本的に「自分ごと化」は「無理ゲー」だと考えている。ひとを無理やり好きにさせることはできないのと同様に、また、いくら強く念じても眠られないのに似て、外からの強制ではもちろん、自らどれだけ強く意識したとしても、自分ごと化はできない。いつの間にか、ふと、そうなっているしかないものである（参照、國分［2017］）。

　かといって諦めるのではない。開き直るのである。ともかくもあれこれ試す他ない、と。その一つがJGKというわけである。ただし、過度な期待は抑えつつ…。筆者はJGKないし「ミニ・パブリクス」に民主主義をイノベートするポテンシャルを見るものではある。だが、一朝一夕とはいくまい。一歩一歩の積み重ねこそ革新に通ず。半世紀以上も前の、丸山の言葉が思い出される。

　「およそ民主主義を完全に体現したような制度というものは嘗ても将来もないのであって、ひとはたかだかヨリ多い、あるいはヨリ少ない民主主義を語りうるにすぎない」［1964：574］。

　この小論ないしJGK実践がヨリ多い民主主義の一助になれば幸いである。

【注】

1）正確には「自分ごと化会議」には二種類ある。一つは、かの「事業仕分け」。いま一つが「住民協議会」である。ここでは後者のみをカウントしている。

2）脱稿直前、共同代表の福嶋浩彦と早瀬真知子、事務局長の大谷怜美、そし

てコーディネーター（後述）の伊藤伸からグループインタビューをする機会を得た。記して謝意を表したい。

3）実行委員会についての一般的な解説やその作り方については、長田[2016]を参照。

4）なお、特段意図があったわけではないが、直接的な契機は、第Ⅰ期の市民参加者4名が第Ⅱ期、実行委員として加わったことにある。これ自体、第Ⅰ期の「成功」を象徴するものとして特記しておきたい。

5）これへの対応として、無作為抽出以外の手法で、あるいは市民参加者とは別に招く、という手もある。前者の例として松江では毎期大学生を5名ずつ、また後者としては第Ⅲ期、「こどもオブザーバー」を招いた。

6）より一般論として、市民一人ひとりの「想い」が地方自治にとって重要な意味をもつ、ということについては福嶋[2014]参照。

7）この意味で、JGK自体、質的研究のスタンスに近い。エビデンス流行りや客観性信仰に再考を促す村上はこう喝破する。「語りを大事に扱うことは、語る人の経験を大切に扱うことである」[2023：84]。

【参考文献】

伊藤伸（2021）『あなたも当たるかもしれない「くじ引き民主主義」の時代へ――「自分ごと化会議」のすすめ』朝陽会

OECD（2023）『世界に学ぶミニ・パブリックス：くじ引きと熟議による民主主義のつくりかた』（日本ミニ・パブリックス研究フォーラム訳）学芸出版社

長田英史（2016）『場づくりの教科書』芸術新聞社

國分功一郎（2017）『中動態の世界 意志と責任の考古学』医学書院

中原淳（2022）『「対話と決断」で成果を生む 話し合いの作法』Kindle版

福嶋浩彦（2014）『市民自治 みんなの意思で行政を動かし 自らの手で地域をつくる』ディスカヴァー・トゥエンティワン

毎熊浩一（2022）「住民主催のミニ・パブリクス－島根原発を題材とした住民協議会『自分ごと化会議in 松江』の検証」田中良弘編著『原子力政策と住民参加―日本の経験と東アジアからの示唆』第一法規

マシュー・サイド（2021）『多様性の科学』ディスカヴァー・トゥエンティワン

丸山眞男（1964）『〔増補版〕現代政治の思想と行動』未来社

村上晴彦（2023）『客観性の落とし穴』筑摩書房

吉田徹（2021）『くじ引き民主主義 政治にイノヴェーションを起こす』光文社

COLUMN 01　文化財や記録類の保存・活用と市民参加

島根大学法文学部　板垣貴志

　日本には、多様で豊かな文化財があることはよく知られている。文化財は、国宝、重要文化財といった国や行政の保護のもとにある一部の〈指定文化財／狭義の文化財〉と、その他の膨大な〈未指定文化財／広義の文化財〉に大別できる。前者は、文化財保護法（1950年施行）が示す文化財の体系（有形文化財、無形文化財、民俗文化財、記念物、文化的景観、伝統的建造物群）に位置付けられたものだが、我が国が「時代を超えて継承すべきもの」はなにも一部の指定文化財に限らない。法のもと保護されていない膨大な未指定文化財をいかに取り扱うのかは、いままでも課題であり続けてきたのである。

　たとえば、日本の古文書などの文献記録は、質量ともに極めて豊富に残されており、世界的にみても希有な地域といわれる。しかも、その多くが個人の住宅に現在も残されており、かならずしも自治体資料館や博物館に集約されていないことが特徴となっている。そのような旧家の土蔵などに残されている雑多な文献記録のことを、民間所在の未指定文化財と呼ぶ。言葉の如く、未だ指定されていない文化財という意味ではあるが、現状では、急激な過疎高齢化や人口減少社会による文化財行政の縮小のなかで、将来的に指定文化財になる可能性は極めて低いといわざるを得ない。

　そこで近年注目されているのは、未指定文化財の整理、保存、活用を見据えた市民参加による調査である。文献記録の分野で、このような市民参加による調査が注目されはじめたのは、1995年の阪神・淡路大震災であった。大規模な災害のほとんどなかった戦後社会の歩みのなかで、突如発生した都市直下型地震が、これまで放置されていた未指定文化財問題を浮き彫りにしたともいえよう。

　阪神・淡路大震災の被災地では、大学教員や学生、自治体博物館学芸員といった専門家に市民も加わって、歴史資料ネットワークという団体が結成され、倒壊した家屋のなかから、文献記録を中心に膨大な未指定文化財が救出された。いわゆる文化財領域における「ボランティア元年」となった。これが災害時における文献記録の文化財レスキューの嚆矢となり、鳥取県西部地

震（2000年）、芸予地震（2001年）、宮城県北部地震（2003年）、新潟県中越地震（2004年）、そして東日本大震災（2011年）といった大規模災害のたびに、文化財レスキューのネットワークは広域化し、整備されていった経緯がある。

　国や行政的な支援のないままレスキューされた、未指定文化財の文献記録類は膨大な量になっている。整理、保存、活用をいかに進めるのか。そのような差し迫った課題を解決しうる可能性として、市民参加による調査が注目をされるようになった。それは文化財を社会的に共有する意味も持つ。

　そもそも日本での伝統的な文化財保存は、「目通し」と「風通し」であった。奈良の正倉院や各地の神社仏閣における秘宝の御開帳に典型的に見られるように、定期的にお宝を人びとに公開し、いわば活用しつつ、保存状態を確認して風通しの処置をしていた。それは、人びととお宝の大切さを共有するとともに、保存、活用していく方向性を持っていたといえよう。しかし、戦後の高度経済成長のもと地方財政も潤沢となった頃より、文化財は温湿度管理された収蔵庫に保管されるようになる。いつの間にか、科学技術による電気を使った近代的な収蔵庫にて、文化財が保存されるようになった。東日本大震災による原発事故を受けて、「歴史資料を残すために必要なものは、もはや科学技術ではない」と発言した歴史研究者もいる。科学技術や電気に依存しない保存や文化財を社会的に共有する活用の形など、あらためて日本の伝統的な文化財保存のあり方が、全国的に見直されつつある。

　このような市民参加による調査は、まだ文化財とはいえないような領域にも波及し始めている。筆者は2021年5月より、島根県立図書館にて島根県内の戦争体験記録をデータベース化する講座を毎月開催している。一般に、島根県は戦争被害が小さかった地域と思われている。終戦間際の米軍による空襲被害こそ少ないが、苦難をともなう戦争体験は広範に残されている。従軍兵士のみならず銃後の体験、引揚体験などの膨大な戦争体験手記が執筆された。それらの記録類を散逸させることなく、後世に引き継いでいく意義は大きいであろう。この講座で構築された島根県内戦争体験データベースは、戦争体験者がいなくなる今後の時代において、県内における平和教育や平和学習に影響を与えていくと考えている。

　むろんこのような記録類のデータベース化は、予算を確保して外注するこ

とも可能であろう。しかし、ゆっくり時間をかけて、多くの市民の協力を得つつ進めていくことに意味がある。

　お宝の「目通し」と「風通し」。文化財や重要な記録類を社会全体で守っていくヒントが、伝統的なあり方には秘められている。見直して学ぶべきことは多い。

島根県内の戦争体験データベース構築講座の様子（島根県立図書館）

第2章

安心して住み続けられる「むら」づくり
―「小さな拠点」の形成を事例に―

島根大学法文学部　関　　耕　平

はじめに

　農山村において集落の枠組みを超え、新たに地域を運営する組織（地域運営組織）を編成し、地域課題の解決に向けて共助を展開していくための仕組み、「小さな拠点」づくりと呼ばれる政策手法が全国的に注目されている。本章は、島根県による「小さな拠点」形成政策の実態を明らかにすることを通じて、中山間地域における安心して住み続けられるための「むら」づくりとその支援策について考察したい。

　はじめに国による「小さな拠点」形成政策の意図を明らかにする。つぎに国の政策意図とは違う方向性が模索されている島根県の政策実態を示す。さらに島根県での具体例に基づいて、地域が真に必要とする「小さな拠点」形成政策とその要素、今後のとるべき政策のあり方を考察する。

１．国による「小さな拠点」形成政策の概要と狙い

　「小さな拠点」が国の政策用語として初めて登場したのは、2009年4月にまとめられた国土交通省過疎集落研究会報告書であり、国土交通省国土政策研究会（2014）によると、「集落が点在する地域において、商店や診療所など日常生活に不可欠な施設や地域活動を行う場を、歩いて動ける範囲に集め、ワンストップで複数の生活サービスを提供できるように」することを指すと表現されている。提唱者である小田切徳美によれ

ば、「新自由主義的な国土政策の極み」「隠れた集落移転」といった批判は当たらず、「施設を山から麓におろすとか、周辺集落から移すという概念は全くなくて、むしろ中心部に必要機能を確保する」ものだと強調する[1]（傍点一筆者）。

　しかし、その後の政府文書では、「集落移転を含む集約化」がその政策意図として入り込んでくる。たとえば「国土のグランドデザイン2050」ではコンパクト＋ネットワークがキーワードとされ、具体的には「まず、サービス機能の集約化・高度化を進め、……一定の時間軸の中で、誘導策等により居住地の集約化を進める。」（傍点一筆者）とされている。また地方創生における「小さな拠点」は「地域住民の活動・交流や生活サービス機能の集約の場」（傍点一筆者）と端的に表現されている。また、2018年4月に出された『自治体戦略2040構想研究会第一次報告』では「小さな拠点」という単語が直接は登場しないものの、「一定規模の集落生活圏で日常生活を営めるよう、集落移転を含め、地域に必要な生活サービス機能を維持する選択肢の提示と将来像の合意形成」（傍点一筆者）が重要になるとする。

　こうした表現から読み取ることができる国の第一の政策意図は、集落移転も選択肢にしながら、基幹集落へと生活・福祉サービス機能やインフラを集約させ、行政経費を削減することである。

　もう一つの国による政策意図は、行政機能の低下は避けられないことを前提に、これを補うものとして「小さな拠点」形成による「地域の助け合い」＝共助を位置づけようとするものである。

　例えば『自治体戦略2040構想研究会第二次報告』では、「公共私によるくらしの維持」に関連する項目とかかわって「共助による支え合いの基盤となる主体（地域運営組織等）が継続的に活動できるように、人材、資金、ノウハウをいかに確保するかが課題」（傍点一筆者）であるとしている。ここでいう地域運営組織は、「小さな拠点」のことである。「従来からの地縁組織やより活動の幅を広げた地域運営組織が共助による支

え合いの基盤となっているが、高齢化と人口流出によって急速に弱体化するおそれがある。」とされ、地域運営組織＝支え合いの基盤（共・私）が「必要な人材・財源を確保できるように公による支援や環境整備が必要」であるという。

　ここで問題なのは、地方自治体などの「公」によって行政サービスを維持することが困難になることを前提に、「小さな拠点」を「共助による支え合いの基盤」と位置づけ、この共助の基盤＝「小さな拠点」を維持するために支援することが、行政（公）の役割だとしている点である。公共部門によって行政サービスを維持し、住民の人権を保障するという観点が後退し、これに代わって地域における支え合い（共助）にゆだねることが前提となっている。

　以上のように、①集落移転を含む生活機能の集約と行政経費の削減、②「小さな拠点」形成を支援することによる共助の強化、さらにその先に、③地域の共助による行政機能の肩代わりを予定するという国の政策意図が読み取れる。

2．島根県における「小さな拠点」形成の実際

　以上のような国の政策意図との関係で、島根県における「小さな拠点」形成政策の実態を見ていこう。結論から言えば、国による政策意図は、島根県においては必ずしも貫徹されず、むしろ対抗的な実践が県下で展開されていると評価できる。

2−1　島根県による「小さな拠点」形成政策[2]

　島根県は広範囲の中山間地域を抱えていることから、早くから農山村集落に着目した政策を実施してきた。1996年には「島根県中山間地域活性化基本構想」を策定し、1998年に島根県中山間地域研究センターを設立、2001年以降、「島根県中山間地域活性化計画（以下、計画）」を策定してきた。第二期計画（2008年〜）では、すでに集落だけでは生活機能

- 買い物（商店、移動販売サービス）ができる環境
- 金融サービス（店舗、固定ＡＴＭ、移動ＡＴＭ）を利用できる環境
- 燃料油（ガソリン、軽油、灯油、混合油）を入手できる環境
- 医療、介護・福祉サービス（訪問診療・看護・介護含む）を利用できる環境
- 生活支援サービス（除草・除雪など）を利用できる環境
- 住宅などの紹介提供サービス（空き家バンク等）を利用できる環境
- 冬季や病後などの緊急時でも暮らせる環境
- 上記の環境への交通アクセス

図表1　島根県中山間地域活性化計画における生活機能の内容
（出所）「島根県中山間地域活性化計画（第四期）」

（図表1）が維持できないことを認識していたため、公民館エリアを念頭
に置いた施策を検討し、実際に2008年から「中山間地域コミュニティ再
生重点プロジェクト事業」として集落を超えた広域での「新たな地域運
営の仕組みづくり」のモデル事業を開始している。

　2012年からの第三期計画では県庁内の各部局で構成する「中山間地域
対策プロジェクトチーム」を設置し、公民館単位での住民による議論や
計画づくりなど、20地区での現場支援を行った。2016年からの第四期計
画では、「小さな拠点づくり」の推進を掲げ、住民同士の話し合いを通じ
た地域運営の仕組みづくりを支援した。

　島根県による「小さな拠点」形成政策の特長をまとめよう。第一に、
「集約」を掲げていないことである。たとえば第四期計画において、「「拠
点」を作って、そこに集まって住もう、ということではなく、……（取
り組みを進めることで）それぞれの地域に住み続けることができるよう
にしようとするもの」（括弧内一筆者）であると明記し、さらに、「必ず
しも機能の「一点集中」を目指すものではなく、地域の実態に応じて、
「小規模・分散型」の機能・サービスを交通手段でつないでいく方法も有
効」（21頁）と明確に述べている。

　第二に、「集約」を掲げていないことと関連して、「小さな拠点」のエ

リアや人口の規模についてあえて言及していない。これらは地域の話し合いで決まるものであって、行政が言うことではない、という姿勢が明確である。

　第三に、行政による支援が充実している。島根県中山間地域究センターの専門職員はもちろん、本庁職員も含めた充実した人員体制によって「小さな拠点」形成に対する支援が取り組まれてきた。例えば2020年度からは担当組織を本庁だけではなく、より当該地域に近接した西部県民センターなどの合同庁舎に一部移管した。また財政支援も手厚く（図表２）、毎年１～２億円の予算措置を確保している。なお、2020年以降の予算額減は、地域産業振興該当分を切り離し、予算費目が移行したことによるもので、事業自体が縮小しているわけではない点に注意が必要である。さらに、後述の「小さな拠点」形成モデル事業は県単独事業ではなく、市町村の実施事業への事業費補助という枠組みで実施されている。したがって、実際の「小さな拠点」にかかる事業実施額には、図表２で示した県決算額だけでなく市町村支出も加わるという点からも、その財政措置の手厚さが見て取れる。

図表２　「小さな拠点」形成事業に関する決算・財源の実績

（千円）

	2016	2017	2018	2019	2020	2021	2022
小さな拠点づくり	60,235	72,537	63,955	55,271	22,687	22,910	30,215
（うちモデル地区）	−	−	−	−	14,251	16,148	23,435
スモール・ビジネス	15,500	17,500	27,803	29,042	47,350	44,688	56,399
決算合計	75,735	90,037	91,758	84,313	70,037	67,598	86,614
（参考）予算額	125,060	185,833	178,689	202,226	144,597	100,561	101,536

（千円）

【財源内訳（決算）】/年度	2016	2017	2018	2019	2020	2021	2022
一般財源	56,090	72,908	78,165	70,033	39,266	58,449	75,103
地方創生交付金	19,645	17,129	13,593	14,280	30,771	9,149	11,511

出所）島根県提供資料より筆者作成

以上、島根県における「小さな拠点」をめぐる政策の実態から、①「集約」を予定した政策になっていないこと、②「小さな拠点」の範囲や規模についても住民の合意と発意を重視してきたこと、③行政による充実した人員配置による支援体制や財政措置がとられている、といった特長が明らかになった。これらの特長から、島根県における「小さな拠点」政策は、国レベルでみられた政策的意図とは対抗的なものであると評価できよう。

2−2　島根県邑南町羽須美地区における「小さな拠点」形成モデル事業

　次に、2020年度から新規に開始された島根県による「小さな拠点づくり」モデル地区推進事業を活用し、具体的な取り組みを開始した地域の実態を見てみよう。

　邑南町羽須美地区は9つの集落から編成されており、2005年の平成の合併までは羽須美村、さらに昭和の合併前は阿須那と口羽という二つの行政村であった。この二つの地域の人口は2023年現在、それぞれ700人弱ずつである。

　この地域に「小さな拠点」を形成するためのモデル事業として、2020年度から5年間で1.5億円（ソフト事業上限5,000万円、ハード事業上限1億円）の予算措置が確保されている。事業総額1.5億円は邑南町が発行する過疎債（ソフト事業含む）によってまかなわれる。過疎債の発行により7割相当の元利償還額が邑南町へと地方交付税措置されるため、残りの3割が町財政の実質的な負担となる。このうち3分の2を県が町へと財政支援するというのがこのモデル事業のスキームであるため、町財政が実際に負担するのは事業総額の1割相当、1,500万円である。

　このモデル事業は、羽須美地域の広域的な地域運営組織によって当該地域における生活機能（交通、買い物、福祉等）を維持・確保することを目的としている。県内でも高いパフォーマンスを誇る住民組織「口羽をてごぉする会」の活動を活かしながら、阿須那地区においても住民組

織を設立し、これら口羽と阿須那の二地域が協働しながら、新たに羽須美地区全体として広域的な地域運営組織を編成するかたちで「小さな拠点」を形成しようとしている。

　具体的な予定事業として、ワークショップや住民アンケートの実施により事業全体の計画を策定すること、JRと共同で行うデマンド交通の開発、地元出身者へ地域情報を発信し、交流するための「はすみ新聞」の発行、地域運営組織の事務所の改修・整備、買い物拠点としてのホームセンター開設の実証実験、高齢者サロンの設置、交流スペース兼ターミナルの整備などが挙げられている。

　ここでの取り組みの第一の特長は、５年間という長期にわたる事業であり、年度をまたいだ柔軟な予算執行が可能になっている点である。具体的には、県による債務負担行為の手続きによって年度にとらわれない予算執行が可能になっている。これにより、タイムスケジュールを気にすることなく、住民との丁寧な合意形成を重視しながら事業を進めることができる。とくにコロナ禍によって対面での住民会合が長らく実施できなかった時期においても、年度予算に縛られず、急かされることなく柔軟な事業実施が可能となっていた。

　第二に、地域が必要とする生活機能のうち、地域運営組織はどこを担うのかなど、「小さな拠点」のあり方全体について、住民の選択・決定が尊重されるという点である。初年度に計画策定のワークショップが開催され、事業内容を順次決定していくという事業の進め方にも、このことがあらわれている。また、ワークショップの場に参加した役場職員が「（住民が）役場に求めること（政策領域）もあるだろう」という点を強調しながら、ワークショップをコーディネートしていた（写真１）。また、ワークショップに先立って石橋・邑南町長が「役場ができることは（生活機能の維持のための「小さな拠点」形成事業の）財源を取ってくること。生活機能の維持の項目として具体的に何を選ぶか、どうするかは住民が決めること」と発言したことに見られるように、住民の選択・決

定を尊重することが一貫して重視されている。

　以上のように、①「小さな拠点」の形成を長期にわたるものとして想定し、スケジュールにとらわれずに柔軟に対応している点、②「小さな拠点」形成に関して住民による合意形成と意思決定を重視するためのワークショップを丁寧に積み重ねていること、③「小さな拠点」による行政機能の肩代わりを前提とせず、住民の決定いかんでは行政が直接担うことを想定するなど、国による政策意図とは異な

写真1　羽須美地区における「小さな拠点」形成モデル事業でのワークショップの様子（2020年10月：筆者撮影）

り、地域の実態に即して政策が展開しているといってよい。

3．持続可能な「むら」に向けた「小さな拠点」政策を求めて

　以上のような島根県において実際に展開されている政策実態をまとめたうえで、地域が真に必要とする「小さな拠点」政策を整理しておこう。

3−1　集約を前提としないこと

　島根県の政策文書で明確に示されているように、「小さな拠点」が、国の意図するような集落移転など「集約する」政策へとつながってはならない。すでにみたように、島根県では「小さな拠点」の規模の目安を示すことにすら慎重であった。集落よりも広域に新たなコミュニティを形成するという「小さな拠点」の形成にあたっては、地域住民の合意形成を容易にするうえでも一体性と共同体意識が最も優先されるべきことであり、規模の目安を安易に示すことは、今後も避けるべきである。

3-2 「共助」をめぐる住民の選択を尊重すること

　これまで集落や地域社会の共助によって担われてきた生活機能が、人口減少の進行によって従来通りに維持していくことが困難になりつつある。こうした事態に対して、「小さな拠点」を形成し、地域の支え合い＝共助によって維持していくのか、もしくは、行政として責任を持つのかについては、住民自身による意思決定が尊重されるべきである。もちろん、地域における共助によって地域課題の解決を目指したり、困難をのり越えようという動きは貴重なものといえよう。しかしこうした共助がひとたび「政策化」され、前提とされてしまえば、「共助」のように見えて実際は、その地域への「自助」の押し付けとなる。本来求められているのは「小さな拠点」や地域運営組織を設立するかも含めた「自己決定に対する制度的保障」である[3]。この点で、邑南町のモデル事業では、どこまでを共助でカバーするのかについて、住民による意思決定が尊重されていた。

　地域住民が必要とする生活機能を支え、維持するという人権保障が、地方自治体の役割としてまず先にあり、あくまでその結果、地域内に芽吹くものとして「共助」が位置付けられるべきだろう。どの水準でどのような「生活機能」が必要であるかは、主権者たる住民の意思決定により決められ、行政責任をもってその水準が保障されることが先になければならず、共助がその一部を担うかどうかも含め、住民による意思決定によるべきである。

3-3 「行政の肩代わり」や「行政経費削減」を目的にしないこと

　国による「小さな拠点」形成の政策意図として、共助強化による行政の肩代わりと、行政経費の「削減」があった。しかし、地域住民の意思決定の結果いかんでは、行政経費「削減」あるいは共助による「維持」のみならず、生活機能の「拡充」も選択肢に入れなければならない。実際に羽須美地区における「小さな拠点」形成事業において、温浴設備の

整備・新設が議論されていた。自宅での入浴の準備作業が困難であること、光熱水費負担が高くなるという理由から、高齢独居の世帯は入浴回数を減らしている実態があり、生活機能としてニーズが高いと地域住民が判断したためである。このように「小さな拠点」の形成は、共助による行政の肩代わり、ひいては行政経費の削減とは直接つながるものではなく、むしろ行政による生活機能の維持・拡充、行政経費の増加も予定されていなければならない。

4．安心して住み続けられる「むら」づくりを支える

　最後に、こうした「小さな拠点」形成政策をより拡充し、県下の農山村地域を持続可能なものにしていくための政策課題について、特に県の役割を中心に具体的に述べたい。

　第一に、「小さな拠点」形成政策にかかる人員の育成と配置についてである。すでに述べたように、2020年度からは担当組織を本庁だけではなく、より農山村地域に近接した西部県民センターなどの合同庁舎に一部移管した。先述の羽須美地区におけるワークショップや月１度の運営会議にもこうした県職員が出席し（写真２）、事業支援を行っていた。このように、県職員が自ら住民と近い位置からともに事業に取り組む行政組織体制は、さらに拡充させるべきである。また島根県中山間地域究センターの専門職員はもちろん、同センターでの県職員への研修を増加させ人材育成に取り組み、さらに充実した人員体制をとるべきである。

　第二に、県予算を大胆に付け替えることで、モデル事業に止まらず、より多くの地域において「小さな拠点」形成政策を大規模に実施すべきである。羽須美地区を事例に紹介した県のモデル事業は、5,000万円のソフト事業（ワークショップによる計画策定など）とセットで最大１億円のハード事業枠を確保する、というものであり、全県下でも４地区のみを対象としている。つまり、島根県地域振興部中山間地域・離島振興課による一事業であり、県財政全体から見れば極めて小さな事業規模である。

写真2　月1回開催の「小さな拠点」形成事業の運営会議の様子（2022年12月：筆者撮影）

　離島や農山村地域にたいする県の政策のなかでも財政規模が圧倒的に大きいのは、土木部などを中心に行われる公共事業であろう。こうした県や市町村による公共事業の一部にたいしてでも、住民のワークショップによる事業計画の策定と、生活機能維持のために地域住民が必要と判断したハード事業を実施するという、「小さな拠点」形成政策の枠組みを採用するならば、農山村地域の持続可能性は大きく引き上げられる。

　この点、県予算の付け替え・組み換えとともに、財源確保が問題になってくる。ここで注目すべきは図表2の財源内訳が示すように、国からの地方創生交付金が極めて少額にとどまっていることである。とくに2021年度の地方創生交付金は914万円のみの確保にとどまっている。これはスモール・ビジネス支援事業費が地方創生交付金の交付決定に際しての有識者審査によって対象から外されたためである。こうした審査過程においては同じ事業（名）の継続は原則と認められなかったという。こうした交付金減額があっても県は事業自体を後退させることなく、一般財源によって事業費を確保していることが読み取れる（図表2）。

　そもそも、地域づくりや「小さな拠点」の運営には、目先を変えた新

規事業よりも継続事業による地域への支援が必要である。地方創生交付金獲得をめぐり「新規性」についての自治体間競争をあおるような、国の地方創生政策のあり方そのものが問われている。国による地方創生交付金が、地域の実態に即した政策展開を支えるような財源へと転換していくことが求められよう。

　第三に、実態に即した支援の拡充や柔軟な制度改善を図りつつ、県と市町村との連携・補完をより一層強めていくことである。実際に2023年度において島根県は、あらたにガソリンスタンドの維持・改修への支援措置を盛り込むなど、柔軟な制度改善を重ねている。また本章において明らかにしたように、「小さな拠点」形成政策において県と市町村とが互いに連携しながら取り組み、県は市町村の事業実施を財政支援し、補完するという役割に徹していた。専門人材の育成・派遣などでしっかりサポートしながらも、市町村や地域住民の主体的な創意工夫を引き出し、それを後押しする黒子役として立ち回る県行政のあり方は、むらづくりを支える「小さな拠点」形成政策以外の領域においても期待される。

【注】

1）小田切・北本（2017），7頁.
2）島根県離島・中山間地域振興課へのヒアリング（2020年9月、2023年12月）および第四期および第五期の島根県中山間地域活性化計画による。
3）坂本（2017）158-161頁.

【参考文献】

小田切徳美・北本政行（2017）「「小さな拠点」とは？〜理念，必要性，可能性について〜」『国土と人21』，2017年3月号，6-12頁
国土交通省国土政策研究会（2014）『「国土のグランドデザイン2050」が描くこの国の未来』大成出版.
坂本誠（2017）「自律と支え合いによる農村の再生：都市と農村の二項対立を超えて」神野直彦・井手英策・連合総合生活開発研究所編『「分かち合い」社会の構想：連帯と共助のために』岩波書店.

（付記）本稿は、『「公共私」・「広域」の連携と自治の課題（地域と自治体第39集）』（自治体研究社、2021年）所収、関耕平「第5章「小さな拠点」形成政策に関する批判的検討」および『しまねの未来と県政を考える』（自治体研究社、2022年）所収、関耕平「持続可能な農山村に向けた政策課題」に最新事情を盛り込みつつ、大幅に改稿したものである。本章執筆にあたり、県職員および邑南町役場の羽須美地区担当者に資料提供やヒアリング調査に対応いただくなど、大変お世話になった。日々の政策実践に敬意を表するとともに、心から感謝申し上げたい。

COLUMN 02　おせっかい会議

島根大学法文学部　毎熊浩一

　2023年11月4日、世界初となる祭典が出雲で開かれた。その名も「おせっかいアワード2023」。辞書にもそうあるように、「おせっかい」という言葉には「いらぬ世話」とか「かえって邪魔や迷惑」とか、一般的にはネガティブな含意がある。が、無論ここではそうではない。誰かの悩みや地域の困りごとを何とかしたい、という思いに基づき積極的に動く、結果的にその相手や地域のためになる、そんな「GOOD おせっかい」のことである。この日は、全国各地から応募のあった200件以上のなかから大賞候補にノミネートされた5件が出雲に集った。プレゼンのあとの投票により大賞に選ばれたのは、「鯖江おせっ会」である。

　鯖江には「サンドーム福井」というコンサート会場があるが、いまひとつ便が悪い。「夜道が暗い」、「お店がわからない」といった声が少なくなかった。そこで、駅前に立って道案内したり、夜道をライトアップしたり、雪が降れば除雪したりしているのがこの団体なのである。もともとは代表一人で始めたというが、いまや会員は35名、実に8年も続いている。SNS上には感謝の声があふれており、まさに「GOOD おせっかい」というに相応しい。

　なるほどこのような取り組みが広がれば、きっとより住みやすい世の中になるであろう。が、残念ながら、おせっかいは、およそ偶発的なものである。鯖江で「おせっ会」が生まれたのも、たまたま代表自身に海外で困った経験があったことが契機となった。つまり、予測も難しければ、再現性も低い。

　しかし、それに挑み、おせっかいを人為的に生み出そうとする動きが島根は雲南にある。「地域おせっかい会議」（以下、「お会議」）という。これは直接的には原則月一開かれる誰でも参加可能なミーティング（以下、MTG）を意味する。つまり、何らかのおせっかいをしたい発案者または、おせっかいされたい人、応援したい人、その他（ただの様子見も含む）様々な関心の人たちが集まり、みんなで当該案件についてアイデアを出し合う、といったものである。月並みといえば月並みな場だが、ファシリテートの腕前か、参加者により自然と醸し出されるのか、実に雰囲気がよい。無論、話し合いの

　結果は案件により様々で、その場で協力者も現れすぐに実現に向けて動き出すものもあれば、実施にいたらないものもある。

　ところで、「お会議」とは、MTGだけでなく、それをも含む「おせっかい」を誘発し実現させる一連のシステムをも意味している。つまり、MTGの前には、「お会議」の周知や発案者の「発掘」などが、事後にも、案件実現に向けての支援者の獲得や伴走などが欠かせない。この中心を担うのが、主催者である株式会社CNCのスタッフである。CNCは主に「コミュニティナース」の育成・普及を手掛ける社会企業であって、その理念からして「相互扶助が当たり前に起こるコミュニティを社会実装する」とある。

　こうして生まれた案件は4年間で200件を超える。そのうち実践されたものをいくつか挙げておこう。コロナ禍の突然の休校に対応した子どもの預かり、放置された笹や竹を活用しての多世代交流イベント、心の病や生きづらさを抱える人が自身の作品を通じて「個性」を発揮し観た人に心の病等への理解を深めてもらう作品展、郵便局での「まちの保健室」（誰もが不安や悩みなどを相談できる場）の開催、雲南市出身大学生による出雲神楽の魅力を伝えるための子ども向け神楽ワークショップ。

「おせっかい会議」での話し合いの様子

紙幅の都合上、これらの詳細や効果についてこれ以上の論及はできない。ただ、ここで特筆しておきたいのは、「お会議」の第一義的な意義は、以上のような案件一つ一つの課題解決それ自体ではないということである。その醍醐味はむしろプロセスあるいは総合的な波及効果にある。まず、「お会議」あるいは「おせっかい」したい人の存在自体が躊躇しがちな背中を押す。また、MTGや案件を実行するなかでいろいろな人から様々な知と汗が現に持ち寄られる様子は、人とのつながりやその価値を身体的に実感させる。こうして、いわば「おせっかいスイッチ」が入りやすくなると同時に、される側としても心理的ハードルが緩和される。あるいは、「する・される」の固定的な関係が見直される、と換言してもよい。以上を発案者の声を借りてまとめておこう。曰く「おせっかい会議には、コミュニティが自律的にケアされるつながりがあり、課題解決に至らずとも、それ自体が価値であると思える」（筆者によるアンケート）。

　もちろん課題もある。人々の「したい（Will）」から出発する点が「お会議」の最大の特長なのであるが、それゆえに偶発性の問題から完全に免れることはできず安定性に欠ける嫌いがある。また、おせっかい一つ一つがどの程度社会的ニーズを満たすか、いわば公共性については幅がある。そして、このような問題に対処しながら、このシステムを持続していくことにはそれ相応のコストもかかる。

　とはいえ、筆者の見るところ、「お会議」（のような仕掛け）は、地方自治を支える新たなインフラとして大きな可能性を持っている（執筆者一覧に「主著」としてあげた拙稿も参照されたい）。ともあれ、2024年度は「お会議」がスタートして５年目という節目の年である。おおいなる社会実験に今後とも注視されたい。

第３章

島根県の地域交通を守るためには

島根大学法文学部　飯 野 公 央

１．はじめに

　地域交通は、通勤・通学、通院や買い物など住民の日常生活や経済活動、さらには観光等の地域間交流を支える社会基盤であり、その有無は将来にわたりその地域で安心して暮らし続けられるか否かの重要な判断材料となる。ところで地方で顕著な過度のマイカー依存や少子化による人口減少は、地域交通の利用者の減少という形で交通事業者の経営を困難なものとしてきた。そして、新型コロナウイルスによるパンデミックが引き起こした大幅な利用者と収入の減少は、交通事業者の経営を急速に悪化させた。また、アフターコロナとなった現在も利用者数は元の水準には戻らず、コロナ下での離職に伴うドライバー不足がサービス供給に影響し事業者の経営立て直しを困難としている。さらに、働き方関連法が2024年４月から運輸業にも適用される、いわゆる「2024年問題」への対応から、ドライバー不足は路線の廃止や再編、減便といった形で既に我々の日常生活に影響を与えている。現に2023年12月大阪府富田林市を中心エリアとしていた金剛バスが、経営不振とドライバー不足を理由に路線バス事業から撤退するなど、影響は全国に広がっている[1]。

　島根県内においても、全県的に路線の廃止や減便の動きがあり、早急な対応が求められている。島根県はこうした生活交通維持に向けた対策を協議するため、全19市町村などから組織したプロジェクトチーム（PT）を発足させ議論を開始している。

そこで本稿では、島根県のバス・タクシードライバーの現状を手掛かりに、地域交通を支える交通事業者が危機的状況にある原因や今後地域交通を維持するために私たちは何をしなければならないか、考えてみたい。

2．島根県内バス・タクシー事業者・ドライバーの現状

島根県内においても松江市交通局をはじめ、一畑バス、石見交通など主要なバス会社で路線の廃止や再編、減便が予定されている。また過疎地域だけでなく、松江や出雲といった都市部でもタクシー事業から撤退する事業者が現れだしている。これらに共通するのはいずれも事業収入の低下とドライバー不足であり、このことは地域交通の存続問題が新たなステージに入ったことを示している。表1は2017年以降の県内バス・タクシー事業者数の推移を、表2はドライバー数の推移を示している。一見してわかるように、バス・タクシーともに事業者数、ドライバー数ともに減少し、とりわけタクシー業界の事業者数とドライバー数の減少が顕著である。タクシー事業の減少は、これが過疎地域の場合、代替交通手段が見つけにくいために交通空白地帯が広がり生活困難者の拡大が懸念される。

表1　島根県内バス・タクシー事業者数の推移

	2017年	2018年	2019年	2020年	2021年	2022年
バ　ス	47	45	43	43	43	42
タクシー	102	102	99	95	92	93

出所）島根県旅客自動車協会、島根県交通対策課資料より作成

表2　島根県内バス・タクシードライバー数の推移

	2017年	2018年	2019年	2020年	2021年	2022年
バ　ス	691	676	659	641	635	613
タクシー	1,436	1,362	1,316	1,209	1,139	1,065

出所）表1に同じ

　次にドライバーの平均年齢を見ておきたい。表3はバス・タクシー産業で働く労働者の平均年齢の推移を示している。これを見ると全国的にバスのドライバーの平均年齢は緩やかな上昇傾向にある一方で、タクシードライバーはほぼ横ばいである。島根県の場合はいずれも上昇傾向にあるが、問題なのはその水準である。そもそもバス・タクシー産業（全国）で働く労働者の平均年齢は、全産業（全国）の平均年齢よりも高い傾向にあるが、島根県の場合、バスが全国平均よりも約15歳、タクシーにいたっては約20歳も高くなっている。いずれも60才前後の水準であり、島根県において両産業がいかに若者から敬遠されているかがわかるだけでなく、ドライバーの平均年齢からすると事業の持続可能期間がそう長くないことが想定される。

表3　バス・タクシー産業の平均年齢の推移（賃金構造基本統計調査）

	2017年	2018年	2019年	2020年	2021年	2022年
バス（全国）	49.8	51.2	50.7	51.8	53.0	53.4
バス（県内）	55.8	52.3	53.4	52.4	55.3	58.0
タクシー（全国）	59.3	59.9	59.7	59.5	60.7	58.3
タクシー（県内）	59.6	61.1	66.9	61.3	61.4	62.2
全産業（全国）	42.5	42.9	43.1	43.2	43.4	43.7
全産業（県内）	43.0	43.6	43.6	43.9	43.9	43.9
バス・タクシー産業の平均年齢の推移（島根県旅客自動車協会調べ）						
バス（県内）	54.3	55.3	55.6	55.3	55.6	56.2
タクシー（県内）	61.3	61.7	61.9	62.4	62.6	63.1

出所）表1に同じ

　ではなぜこれほどまでに若者に敬遠されてしまったのだろうか。そしてその原因はどこにあるのだろうか。理由の一つと考えられるのが平均賃金の水準である。表4はそれぞれの1カ月の平均賃金を示している。平均賃金は、全産業労働者（全国）の平均値よりも、バスで約27％、タクシーの場合は約29％低い。島根県のバス・タクシー産業の場合は、全

国よりもバスで約31%、タクシーで約36%も低い（いずれも2022年）。このように、他産業と比べ賃金水準が著しく低いために、新規の流入、とりわけ若年ドライバーの流入がほとんどない。特に賃金水準の低いタクシードライバーは敬遠され、地方では高齢ドライバーの増加に伴い、日常的（特に早朝・夜間など）にタクシーがつかまりにくいという状態が生まれている。

表4　バス・タクシー産業の1カ月平均賃金の推移（円）

	2017年	2018年	2019年	2020年	2021年	2022年
バス（全国）	248,300	250,700	250,700	241,300	238,900	241,700
バス（県内）	232,200	210,300	218,700	219,900	205,000	227,500
タクシー（全国）	222,500	218,900	239,900	202,900	200,000	234,000
タクシー（県内）	195,400	198,900	203,900	204,000	177,500	213,100
全産業（全国）	304,300	306,200	307,700	307,700	307,400	331,800
全産業（県内）	253,400	248,700	258,600	257,300	259,000	263,100

出所）表1に同じ

3．地域交通が危機的状況に陥った原因はどこにあるのだろうか

　前節ではドライバーの不足と高齢化が、これからの地域交通の持続可能性にとって大きなハードルとなっている実態を整理し、原因の一つにその低い賃金水準をあげた。それではなぜバスやタクシー事業では低い賃金しか支払うことができなかったのだろうか。バス事業を例に考えてみたい。

　第一の理由は、言うまでもなく過度な車依存と人口減少が進んだことによる利用者と運賃収入の減少である。1960年代から始まるモータリゼーションの進展によって地方は急速に車依存の度合いを高めていった。特に都市が急速に郊外に拡散し、公共交通でのカバーが追いつかなかったことから、結果的にマイカーの普及に拍車がかかり、それとともに公共交通の利用者が急速に低下していくこととなった。そして今後も少子化の影響で学生などの公共交通に依存する若年層は減少する一方、

高齢になっても運転を続ける高齢者が増えることが予想され、公共交通の利用者はますます減少すると見られる。

　第二の理由は規制緩和の影響である。かつてバスやタクシー事業は、参入規制という需給調整機能が働く規制産業であり、総括原価方式をベースとした上限運賃制の下で経営の安定化がはかられていた。しかし、過度なマイカー依存や人口減少といった要因で地方のバス事業者の経営環境は年々厳しさを増していった。そこでバス事業者は、通常の路線バス事業に加え、貸切観光や高速バスといった事業の多角化によって新しい収益源を確保し事業を継続してきた。ところが、2000年代初めの規制緩和による道路運送法の改正によって参入規制が撤廃され、貸切バスや高速バスなど収益性が期待できる分野に新規参入が相次ぐクリームスキミング（いいとこどり）現象が発生し、激しい価格競争が始まった。そのため運賃収入が伸び悩む一方で、競争に勝ち残るための設備投資等の費用がかさみ、ドライバーの賃金を引き上げる原資は枯渇していった。地方の路線バス会社は収益の柱である観光バスや高速バスからの「内部補助」が減少し、ドライバーの待遇改善ができないばかりか、路線バス部門の赤字を埋め合わせることができず、利用者の少ない路線の廃止や減便という形での対応を取らざるを得なくなっていった。規制緩和によって国が進めてきた「事業者を競争させれば交通サービスが発達する」という状況は、少なくとも地方においては成り立たないのである。第三の理由は、バス会社に対する公的補助の問題である。住民の足を確保するという理由から赤字路線に対してはそれを維持するために公的補助が行われている。ところが、行政による赤字補填は欠損補助であり、必ずしも待遇と経営改善につながる補助システムではない。しかも企業努力によって収益を改善すれば補填額が減るため、経営のインセンティブが働きにくい。

　このように、地域交通の主たる担い手である民間事業者に対し市場ベースでの競争を強いてきたことによって、地方の交通事業者の経営体

力は大きく棄損し、待遇が改善されないことから人材の流失が始まり、結果的に地域交通が成り立たなくなる現状を生み出したと考えられる。

では、私たちはこうした状況に対しどう向き合ったらよいのだろうか。

4．私たちはどう向き合ったらよいのか

地域交通を維持するために私たちがしなければならないことは多岐にわたるが、ここでは3つの視点から提案してみたい。

第1の視点は地域交通の位置づけもしくは存在意義に関するものである。地域交通は、住民生活や経済活動等に不可欠な社会基盤であるが、そのサービス供給は主として民間事業者に任されてきた。しかしながら、前節でもふれたように、市場ベースの自由競争を前提としていたのでは、地方においてはそのサービス供給は必ずしも成り立たない。そこで、地域交通を「官民連携の社会資本」と位置づけ再構築する。願わくば地域交通を憲法が保障する生存権や幸福追求権を具現化する社会サービスとして明確に位置付け、行政の責任（財源措置も含め）として規定することが望ましい（自治体条例でも構わない）。そうすることで地域交通が重要な社会基盤であることが広く認識されるとともに、そのサービス水準や費用負担のあり方をめぐって、交通事業者・行政・住民が法定協議会を通じて議論することができる。特に重要な点は、地域交通の赤字を単なる収支上の赤字とみるのではなく、「地域を支えるための支出」とみる、クロスセクター効果である。クロスセクター効果とは、「地域交通の運行に対して行政が負担している財政支出」と「地域交通が廃止されたときに追加的に必要となる分野別代替費用」というコスト同士を比較するものである[2]。例えば通院や買い物に利用されているバスが廃止された場合、それぞれを代替するタクシー券の配布が必要となる。あるいは外出機会が減ることで体と心の健康を害し、医療費や介護費用が増加する。こうした費用が代替費用である。地域交通が廃止された場合、様々な追加の行政負担項目が発生するためかえって行政コストがかかってし

まうかもしれない。こうした地域経営的視点を行政・住民・事業者が共有することで、赤字＝廃止という安易な結論を避けることができる。

　第2の視点は、地域交通サービスを供給するためのシステムもしくはビジネスモデルの再構築に関することである。具体的には従来の全国一律の市場メカニズムに基づくサービス供給システムから転換し、それぞれの地域が抱えている課題や条件など、地域の実情に合った交通体系に転換・再構築を図ることである。いうまでもなく今後人口減少が進む地方では、地域交通の経営モデルは従来のような民設民営ではほぼ成り立ちえない。

　そこで、地域交通産業の基盤強化・事業革新に関する検討委員会の提言書[3]で述べられているような、地域をカテゴリー別に分けて戦略を練るというのも一つの方法である。

　図1に示されたカテゴリーA地域は、民間によるサービス供給が公的補助がなくとも行われるとともに、商業ベースの競争等で利便性の向上が期待されるエリア。カテゴリーB地域は、民間によるサービス供給が行われているものの、一定の公的補助が必要であると考えられるエリア。カテゴリーC地域は、民間によるサービス供給が成立しないエリアである。提言書に示された島根県のカテゴリー分布は、松江市がカテゴリーB地域でそれ以外の県下全域がカテゴリーC地域である。カテゴリーB地域である松江エリアでは、多様な民間事業者が存在するものの、エリア内の人口が減少傾向にあり、また地域交通の利用者も減少が予想され、このままでは経営の悪化による路線の廃止や事業の撤退が進むと想定される。そこで一定の公的補助が必要となる。具体的には図に示されているように、法定協議会を核に、行政、事業者がコンソーシアムである「地域交通協働機構（仮）」を作り、また、地域に存在する交通事業者は共同経営や事業会社を設立し、地域に必要な交通サービスを一括して供給するという方法である。こうすることにより各事業者が連携したより利便性の高い交通サービスの提供が可能となるだけでなく、人を含む様々な

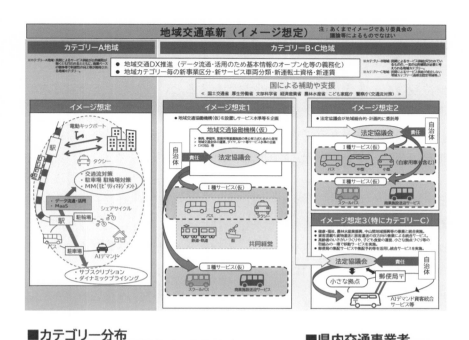

■カテゴリー分布

■県内交通事業者

区分	事業者名	
鉄道	・西日本旅客鉄道 ・一畑電車	
		計2社
バス	・石見交通(株) ・一畑バス(株) ・隠岐一畑交通(株) ・奥出雲交通(株) ・中国ジェイアールバス(株) ・松江市交通局	
		計6社

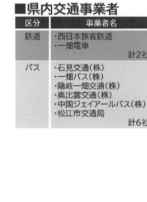

出所）地域交通産業の基盤強化・事業革新に関する検討委員会〈提言〉『〜地域交通革新』より

図1　カテゴリー別の地域交通事業のイメージ

資源の有効活用が可能となる。そして、事業継続のための費用負担を住民に求める場合でも使途が明確であり、また行政からの支援も一括支援が可能となるなど手続きも簡素化できる。さらに場合によっては交通基盤施設等を公有化し事業者は運営に特化するといった、上下分離方式の導入も可能であり地域交通の持続可能性が高まるかもしれない。

　次に松江以外のカテゴリーC地域では、エリア内の人口が少ない過疎地など、既に民間事業者が存在しないか、近いうちに存在しえなくなり、一定の公的補助のみではサービス供給が難しいエリアである。こうしたエリアの場合、商業ベースでの移動サービスの提供は事実上困難であるため、住民の移動ニーズの提供を第一に、地域に残された交通資源（スクールバスや宿泊施設のバスなど）や交通分野以外の事業と連携・統合するだけでなく、住民主体の自家用車の活用（ライドシェア）を含めた事業や運転資格等を検討し、法定協議会を核に、地域住民のウェル・ビーイングの実現を目指すことが求められる。

　第3の視点は、住民の意識と行動に関するものである。地方の地域交通が衰退している原因の一つは、明らかに住民の過度なマイカー依存とそれを前提としたまちづくりである。周知のように過度なマイカー依存のまちは、そうでないまちに比べ行政コストが高くなるといわれている。自動車を維持するコストは家計にも大きな負担であるばかりか、道路整備や冬場の除雪など、道路に直接関係するコストだけでなく、環境の悪化、渋滞による時間のロス、運動不足からくる医療費や介護費用の増加など、その社会的コストは決して小さくない。もしこのまま自動車依存を改めず、拡散した都市を維持したまま人口減少社会に突入したならば、将来の住民負担は増大し、地域の持続可能性にも影響するだろう。

　私たちの暮らしには様々な財政需要が存在する。その中の何を選択することが地域のウェル・ビーイングを高めることになるか。クロスセクター効果が示すように、地域交通を中心としたヒューマンスケールなまちを作っていくことが持続可能な地域社会への道なのではないだろうか。

【注】

1）金剛バス廃止路線の一部は、現在自治体が費用を負担するコミバス方式として近鉄バスと南海バスが路線バスを運航している。

2）クロスセクター効果研究会『地域公共交通の有する多面的な効果算出ガイドライン』一般財団法人地域公共交通総合研究所，2023年

3）地域交通産業の基盤強化・事業革新に関する検討委員会〈提言〉『〜地域交通革新』，運輸総合研究所，2023年9月

COLUMN 03　島根県の水害と保険による住宅・生活再建

島根大学法文学部　嘉 村 雄 司

　島根県は、水害の多い地域として知られている。水害被害が大きかった過去の事例としては、1972年7月豪雨や2006年7月豪雨などが挙げられよう。また、近年においても、2020年7月豪雨や2021年7月大雨、同年8月大雨、2023年7月大雨などにより、住宅の浸水被害が相次いでいる。このような水害のリスクに関しては各市町村のハザードマップを確認するとともに、水害リスクに備えた住宅づくりを行うこと（高床式にする、地盤を高くする、防水壁で囲む、外壁を耐水化する等）が重要となる。

　一方で、水害による被害を受けた場合には、国や地方公共団体からの各種の支援という「公助」を受けることができる。国が提供する支援として、被災者生活再建支援制度、住宅の応急修理（災害救助法）、災害復興住宅融資（住宅金融支援機構）などがある。また、地方公共団体が提供する支援として、たとえば島根県においては、島根県被災者生活再建支援制度（国とは別に島根県が市町村と共に行う制度）、松江市においては、松江市災害見舞金、松江市災害援護資金の貸付など、様々なものが提供されている。さらに、義援金といった「共助」による支援も受けられることがある。

　もっとも、大きな水害が発生し、住宅が被害を受けた場合、修理や建て替えにかかる費用が高くなり、公助・共助だけでは、住宅・生活再建に十分な金額とならないことがありうる。そこで、水害被害を受けたときに、スムーズに住宅・生活を再建するためには、「保険」に加入するなどの「自助」による備えが重要となる。

　水害被害に対する補償は、火災保険の「水災補償」に加入することで受けられる。水災補償は、火災保険に上乗せで付帯するタイプのものや、基本的な補償に含まれるタイプのものなどがあり、補償の対象や内容は様々となっている。現状、島根県の水災補償付帯率は、全国平均よりは高いものの、火災補償に比べると、まだまだ低い状況にある。

火災保険水災補償付帯率　　　　　　　　　　　　　　　　　　　　　[%]

	2013年度	2014年度	2015年度	2016年度	2017年度	2018年度	2019年度	2020年度	2021年度	2022年度
島根県	82.3	81.0	79.7	78.6	77.5	76.6	76.0	75.5	74.6	73.7
全国計	76.9	75.2	73.4	71.9	70.5	69.1	67.8	66.6	65.4	64.1

出所）損害保険料算出機構HP「火災保険水災補償付帯率」

　また、これまでは水災補償の保険料率（以下「水災料率」）は全国一律であったが、2024年度から水災リスクに応じた水災料率の細分化が採用される見込みとなっている。細分化する単位は、市区町村別を基本とし、区分数は、保険料が最も安いグループである「１等地」から最も高いグループである「５等地」までの５区分とされている。保険料が最も高い地域は、最も安い地域に比べて、約1.2倍の保険料になるとされている。島根県内の市町村は、２等地から４等地までのいずれかに分類される予定である。なお、実際の水災料率細分化の内容は、民間の損害保険各社が決定することになるため、これらとは異なるものとなる可能性がある。

　水災補償に関する課題としては、付帯率に低下傾向がみられることが挙げられる。過去10年間、全国平均の付帯率は下がり続けており、島根県においても全国平均ほどではないが、低下し続けている。この原因の一つとして、保険料の高騰化が考えられる。2014年以降、自然災害などによる保険金支払いの増加などを背景として、すでに５回の火災保険料率の改定が行われている。直近２回（2021年および2023年）の改定においては全国平均で10％以上の引き上げとなっており、今後も付帯率の低下傾向は続く可能性がある。

　このような課題に対しては、地方自治体が水災補償の加入者に補助金を提供することが考えられる。宮城県をはじめとして、熊本県人吉市・八代市・球磨村、佐賀県武雄市などの地方自治体は、保険による自助を促すために、補助金を支給する制度を実施している。島根県やその市町村においても、これと同様の制度の導入が検討されてよいだろう。

　水害被害に対する住宅・生活再建には、保険による自助の促進が重要な課題となる。しかし、民間の損害保険会社が提供する既存の保険の枠組みだけでは、十分な救済とならない可能性がある。そのため、地方自治体などの公

的機関においても既存の保険と同様の補償を提供することが考えられる。た
とえば、兵庫県が提供する「住宅再建共済制度（フェニックス共済)」や、
住宅の補償を想定するものではないが、関西広域連合が現在検討している「コ
ミュニティ水災保険」など、参考になりうる制度・議論が存在する。島根県（お
よび山陰エリア・中国エリアなど）においてもこのような検討が行われるべ
き時期にきているのかもしれない。

【参考サイト】
・島根県HP「過去の主な災害」「市町村防災マップ」
・松江市HP「自然災害時における被災者支援制度」
・内閣府HP「公的支援制度について」「水害・地震から我が家を守る 保険・共済
　加入のすすめ」
・損害保険料率算出機構HP「火災保険水災補償付帯率」「（別紙）水災料率の細分
　化について」「2023年６月届出 火災保険参考純率改定 都道府県別等地別の改定
　率の例」「火災保険参考純率」
・兵庫県HP「兵庫県住宅再建共済制度（愛称：フェニックス共済)」
・関西広域連合HP「令和２年３月１日発表 琵琶湖・淀川流域対策に係る研究会
　リスクファイナンス部会 報告書について」「琵琶湖・淀川流域対策に係る研究会
　リスクファイナンス連絡会議報告書について」

COLUMN
04

「線引き制度廃止」、その前に

島根大学法文学部　飯野公央

　日本の都市は、経済成長期の人口増加と都市集中によってそのエリアを拡大させてきた。しかし、その拡大のテンポに生活道路や下水道など社会インフラの整備が追いつかず、市街地が虫食い状態で拡大し乱開発が進む、いわゆるスプロール化が進展した。このような無秩序な都市開発によって都市施設の不備や非効率な整備が強いられることになった。

　そこで、こうした状況に歯止めをかけるために都市計画区域を「市街化区域」と「市街化調整区域」に区分する「区域区分制度（いわゆる線引き制度）」が導入された。線引き制度は、効率的な公共投資によって一定の環境水準を確保した市街地形成を実現すること、さらに無秩序な宅地化を適切に誘導して土地資源の劣化を防止すること、を目的とした制度としてこれまで一定の役割を果たしてきた。

　ところで、近年の少子高齢・人口減少社会の到来により、既成市街地における低未利用地の拡大、農業従事者の大幅な減少と耕作放棄地の広がりなど、以前のような開発圧力は低下しているとみる向きもあるが、子どもが親から独立する、いわゆる「世帯分離」などが存在するため開発圧力はなくならない。そして地方都市の場合、この開発圧力はこれまで通り郊外部の農地を開発して無秩序に行なわれることが少なくない。すでに線引き制度を廃止した高松市や和歌山市などでもこうした事例が報告されている。

　このような動きがあるなか2023年2月、松江市長が「土地利用の秩序を保ちつつ、線引き制度を用いない土地利用制度の運用に向けて検討を開始する」と表明した。松江市によれば、①住宅団地や商業施設などの新規の開発ニーズはあるがまちなかに適地がない、②古民家（空家）活用など既存建物の用途変更ニーズに対応できない、③土地活用の際の行政手続きが煩雑、の3つを線引き廃止理由にあげている。

　しかし、先行した他地域の実例は、安易な線引き廃止によって、諸施設の郊外流出やスプロール化に歯止めがかからなくなる傾向が見られることを明らかにしている。そして自治体によっては新たな規制強化に動かざるをえな

いところもでている。区域区分の廃止論議はいくら慎重であっても慎重すぎることはない。現に、国土交通省が定める都市計画運用指針でも線引き制度の廃止に関し次のように求めている。「区域区分制度は、無秩序な市街地の拡大を防止することにより、既成市街地の環境悪化の防止についても、その目的としている。このような趣旨に鑑み、現に区域区分を行っている都市計画区域においてこれを廃止しようとする場合には、（中略）市街地が再び急速な拡大を示す要因がないかを慎重に検証するとともに、開発行為が従前の市街化調整区域に拡散する可能性、また、そのことがもたらす既成市街地における空家、空地の増加や既存インフラの非効率な利用等の市街地形成への影響を慎重に見極めるべきである」と。

　もちろん松江市も安易な線引き廃止を考えているわけではない。しかし、松江市長が掲げる「誰もがチャレンジできる環境の創出」をめざし、土地利用制度の基本を「出来ない」から「出来る」に転換する場合、より慎重な議論が必要であることは言うまでもない。

　さて、以下の図は、直近（2024年1月）の第56回松江市都市計画審議会に提出された資料である。高規格道路（松江北道路）が線引き廃止問題との関連で議論されるのははじめてといってよいだろう。ちなみにこの図はこれまでの線引き廃止にかかわる公民会単位での住民説明会や市民シンポジウムで

出所：第56回松江市都市計画審議会資料（2024年1月）より

は一度も示されていない。高規格道路の整備に合わせてインターチェンジ付近に新たな利便性の高いエリアが誕生し、雇用創出に寄与する工業団地の整備や企業誘致が可能となり、既存集落も維持できるというのが市の主張である。

　これまで松江市が線引き制度によって市街地の拡散を防止した結果、比較的コンパクトなまちの形が維持され、生活関連サービス（商業施設、医療介護施設、公共交通など）の維持に必要な人口密度が保たれてきた。そして市町村税において、個人所得割と法人割を合わせた額を上回る固定資産税収が確保されているのも線引き制度と無関係ではない。さらにインフラの将来負担を抑えることで財政健全化にも寄与している。今後確実に進む人口減少社会を見すえたとき、こうした点をもう一度考慮することも大切であろう。さもなくば、このようなプランはコンパクトに名を借りた、内容的には全くその逆の分散化計画になりかねない。

第 2 部

地域の多様な担い手と "ひとづくり"

「フードバンクしまねあったか元気便」のパッキングボランティアで体育館に集まった地域の人たち。老若男女、学生から会社員、民生委員まで、毎回さまざまな住民が参加する。

第 4 章

地域における関係人口の存在意義

島根県立大学地域政策学部　田 中 輝 美

1．はじめに

　『地方消滅』という衝撃的なタイトルの書籍が出版されてから10年が経過した。この間も人口減少は進み、2022年は日本全体で前年より80万人減少している[1]。鳥取県や島根県を超える人口が毎年、減っているのだ。減少を食い止める取り組みが重要な一方、人が減っても幸せな社会をどう構築していくのかというもう一つの問いに、より具体的に向き合う段階にきているのではないだろうか。こうした中でヒントとなるのが、交流人口でも定住人口でもない、第三の人口の考え方「関係人口」だ。2016年に登場して以降、急速に広がって国が推進し、多くの地方自治体も取り組むようになった。とはいえ、定住しない人たちが地域にとってどんな意味があるのか、イメージしにくい部分もあるかもしれない。そこで地域における関係人口の存在意義について考えていきたい。

2．「交流以上、定住未満」で高まる期待

　関係人口という言葉を、初めて聞いた方や、耳にしたことはあるが詳しくは知らないという方も多いのではないかと想像する。2016年ごろに生まれた新しい言葉とされ、この年、食べ物付き情報誌『東北食べる通信』元編集長の高橋博之氏、雑誌『ソトコト』編集長の指出一正氏が、それぞれ著書『都市と地方をかきまぜる』『ぼくらは地方で幸せを見つける』の中で、関係人口に触れている。詳細は各書を読んでいただきたい

と思うが、共通しているのは、地域に多様に関わる外部者であり、交流人口と定住人口の間の概念ということだ。

　例えば、離れている特定の地域に愛着を持ち、商品を継続的に買ったり、定期的に通ってイベントやお祭りを手伝ったりする人たち。新しいアイデアを出したりデザインしたりして住んでいない地域の特産品開発を後押しする人たち。きっとどの地域でも、そういう人たちの存在が思い当たるのではないだろうか。または自分自身が当てはまっているという人もいるかもしれない。

　関わる側からみると、短期間訪れる交流や観光という関わり方ではなく、長期間暮らし続ける定住という関わり方でもない、その間にある新しい地域との関わり方。地域側からみると、観光客よりも関わりが深いが定住まではしない人たちで、「観光以上、定住未満」と表現されることもある。筆者自身、社会学的に研究し、「特定の地域に継続的に関心を持ち、関与するよそ者」と定義付けた（田中 2021）。

　総務省が2018年度に関係人口創出のモデル事業を始め、内閣府も事業化したことで、関係人口は全国の自治体で知られるようになった。さらに地方創生の政府方針を定めた「第二期まち・ひと・しごと創生総合戦略」で初めて関係人口の創出・拡大が掲げられた。国土交通省は関係人口の実態を調べるアンケートを実施し、2021年３月に公表している[2]。それによると、全国の18歳以上の２割弱、1,827万人が特定の地域を訪問する関係人口なのだという。関係人口は、登場からわずかの期間で急速に広がり、そして、期待が高まっていると言えるだろう。

３．地方の担い手不足と心の過疎化

　ではなぜ今関係人口が求められるようになっているのか、その背景には地方の課題、そして都市の課題が存在している。

　地方側の状況はご存じの通りかもしれない。以前は過疎地域と言われるような一部の自治体のみが人口減少に直面していたが、日本全体が恒

常的な人口減少社会となった今、逆に一部の自治体をのぞいた多くの自治体が人口減少に直面している。

　日本創成会議は2014年、いわゆる「増田レポート」を発表した。2040年までに日本全体の49.8％にあたる896の自治体が消滅する恐れがあるとした内容で、続いて同会議座長の増田寛也氏は、冒頭にも紹介した著書『地方消滅』を出版。「増田レポート」は全国の自治体関係者に衝撃を与えたとして批判や反論も寄せられており、中には説得力のあるものも含まれている。

　しかしながら、人口減少の段階が進み、ついに消滅するという言説が登場するほどの状況になったということは事実であり、かつてない事態として受け止める必要があるのではないだろうか。

　こうした中で、地方創生に取り組む地域では、主に都市住民を受け入れる移住を積極的に推進することが再生の方向性として広く認識された。その結果、引っ越し費用や結婚披露宴費用の補助、就職祝い金の交付など、移住者に対するさまざまな支援メニューが提供されており、一種の"奪い合い"のような事態が起きている（山下 2014）。ただ、人口減少時代という全体のパイが減る中で移住者を奪い合うことは、どこかの自治体は増えてもどこかの自治体は減るという「ゼロサム問題」が発生する懸念が提起されている。実際、自治体の担当者から「奪い合っているだけでは未来が見えない」と悩みを相談されたことも少なくない。

　現場では、地域づくりをはじめとしたさまざまな分野で人材不足がいわれる。総務省が行った地域運営組織7,207の実態把握調査（2022年度）で、抱える課題としてもっとも多かったのが「担い手となる人材の不足」で、76.1％に上った[2]。次いで役員・スタッフの高齢化（56.7％）、次のリーダーとなる人材の不足（56.2％）、リーダーとなる人材の不足（51.5％）と人材面が続く一方で活動資金の不足は36.1％にとどまっている。

　その上で、より本質的な課題として指摘されているのが、「心の過疎化」だ。行動に起こす前から「何をやっても駄目なのではないか」と諦

めてしまうといった気持ちのことを指している。地方の在住者が自分の地域を「何もないところ」と口にしたり、移住者に「何でこんなところに来たの？」と聞いたりする場面を見たことがないだろうか。それは、人口減少が続いてきた中で、住んでいる人々の心が傷つき、誇りや自信が失われていった結果ではないかと感じている。

4．都市の「ふるさと難民」

　地方の課題ばかりに目が向きがちだが、実は都市にも課題がないわけではない。

　「私は埼玉県出身で地域へ特に思い入れがありません。地元には地域の交流やフリーペーパーもあります。小学校では郷土学習もやりました。それでもやはり郷土愛は生まれません。どうしてなのでしょうか」「東京に小さい頃から住み続けており、高校は自分が住んでいる区外の少し離れたところに通っていたためか“地元愛”について聞かれた時、上手く答えることがいつもできないでいた」

　ある首都圏の大学で講演した際、大学生たちからこんなコメントが返ってきた。生まれ育った地域を愛せないというのだ。都市の学生や若い世代を対象にした講演では、毎回ほぼ同じ反応がある。

　なぜだろうか。背景には、若い世代では首都圏生まれ、首都圏育ちが大多数になっていることが挙げられる。過疎と過密が生まれた1960年代、自由や豊かさを求めて地方から都市へと人材が流出した。その世代を第一世代とすれば、現在の若い世代は、その第二世代、第三世代にあたる。郊外の団地で生まれ育ち、団地外の小中高校に通うパターンが少なくない。塾や部活で忙しく、団地には「寝に帰るだけ」。「ベッドタウン」の名の通りと言うことができる。

　そうなると同級生や、そのお父さんお母さんといった地元の人とのつながりが生まれにくく、チェーン店に囲まれる中で、地元に根ざしたなじみのお店や店員も見つけにくい。その結果、生まれ育った地元に愛着が

持てない、というのだ。社会人になっても、自宅と職場の往復で、休日の夜にふと振り返ると、朝からコンビニエンスストアの店員以外誰ともやりとりしていない、というのもよく聞く話だ。このように人とのつながりを失った都市住民は「ふるさと難民」と呼ばれている（高橋 2016）。

　関係人口の提唱者の一人で前述の高橋氏は、著書で「都市住民にとって、生きる実感と人とのつながりは、もはや贅沢品になっている」と指摘している。筆者自身も「ふるさとがほしいんです」と声を絞り出すように話す人に会ったことがある。

　自称「ふるさと難民」に、ふるさととは何なのかと尋ねてみた。その答えは「ただいま」と言ったら「おかえり」と応えてくれるような関係性やつながりがある場所だとのことだった。以前に比べ、つながりに価値が置かれる時代になっていると言えるだろう。若い世代の全員だとはさすがに言えないが、着実に増えているのを感じる。

　以上を踏まえると、都市と地域の双方に課題がある社会が生まれていると言うことができる。考えてみれば、過疎と過密はセットで、地方と都市は表裏一体の関係でもある。どちらか一方だけが良くなることは難しい。つながりを求める都市の「ふるさと難民」たちと、「心の過疎化」を抱え、担い手も減る地方の住民、双方の課題が解決されることが重要ではないだろうか。

５．定住しなくても役に立つのか？

　ここで提案したいのが関係人口だ。まず、都市の人たちにとって地方と関わることで新しいふるさと、つながりができる。地方の人にとっても、関係人口が新しい担い手となれば課題の解決につながりやすく、心の過疎化の解消にも一役買うこともできる。win-winになる可能性があるのだ。

　実例を、島根県邑南町と同県雲南市の取り組みから紹介したい。

　１つ目の島根県の邑南町羽須美地区は、過疎化が進み、1947年に6,700

人いた人口が約1,400人にまで減少した。さらに追い打ちをかけたのが、同町内を走る旧JR三江線（さんこう）が2018年３月末、廃止になったことだ。

　一見すると地域衰退の危機の局面だが、「鉄道はなくなっても、地域がなくなるわけではない」と掲げるNPO法人・江の川鐵道が発足し、廃止で残される線路や駅を生かそうとJR西日本や町と交渉。高さ20メートルの「天空の駅」と呼ばれる旧宇都井駅でのトロッコ型車両の運行といった一帯の鉄道公園化に動き出した。

宇都井駅とトロッコ （江の川鐵道提供）

　頼りにしたのが、関係人口たちだった。廃止前から沿線行事の手伝いや沿線を巡るツアーに通ってくる、地域外の人たちとのつながりがあったのだ。そこで、力を合わせてトロッコ型車両を導入し、運行や安全管理も、隣県の広島県広島市を中心に遠くは首都圏も含めた全国から関係人口たちが通いながら担っている。

　トロッコ型車両は週末中心の運行ながら、風を受けて本物の線路を走り抜ける爽快感が人気を集め、2022年度は乗車や駅に入場した人は約1,600人と廃止後も地域に人を呼び込んでいる。関係人口抜きではとても実現しなかったと言えるだろう。鉄道公園化も実現し、ふるさと納税活

用のクラウドファンディングで816万6000円を集めて22年には新型車両
へとアップデートした。江の川鐵道の日高弘之理事長は「一緒に取り組
んでくれている関係人口がいるからできている。外にいる仲間として頼
りにしている」と充実した表情で語る。

　一方、関係人口としてトロッコ運行を担う男性は「外部の人を受け入
れ、そして自分の人生をかけてでも地域を盛り上げていこうと活動して
いる方々の存在が何よりも大きい。この地域発の動きを、なんとか成就
させなくてはならないという思いが後押ししている」と話す。

　同地区では他にも、空き家だらけになったある通りの一軒を借りてい
る広島市の男性もいる。普段は工場に勤務しながら、休みの日に通って
空き家をリノベーションし、趣味で集めてきたフリーペーパーを並べて
飲食も提供するようになった。男性は同地区に定住しているわけではな
く、二地域居住という関係人口のあり方のひとつ。これまで真っ暗だっ
た空き家に明かりがともるだけでほっとすると、住民にも喜ばれている。

６．草刈り応援隊

　２つ目が、中国山地の山あい、島根県雲南市吉田町の民谷宇山地区の
「草刈り応援隊」。農家を悩ませる大きな課題のひとつである田んぼの草
刈りを、地域内外の人々の力を合わせて楽しく乗り切ろうという試みだ。

　同地区は人口約140人。寒暖差が激しく、雪解け水に恵まれる「うや
ま米」というブランド米の産地としても知られている。約50キロ離れた
島根県の県庁所在地松江市にある米専門店・藤本米穀店の藤本真由社長
が2017年、同市の若手社会人と同地区で活動する住民団体「里山照らし
隊」をつなげ、一緒に議論する中で、地区の大きな課題である草刈りの
解決に向けて定期的に草刈り応援隊を募る新しい企画が誕生した。

　2018年からは年３回、松江市や雲南市の若手社会人や学生が草刈り応
援隊となって地区に出掛け、住民とともに機械を使って草を刈っている。
機械に慣れていない初心者には住民が簡単に使い方を指導する。2019年

草刈り応援隊の草刈り風景（筆者撮影）

の初回、5月18日には総勢35人が参加。一斉に草を刈る風景は圧巻で、緑の草に覆われていたあぜ道や斜面があっという間にきれいになっていった。終了後は全員で地区の食材を使った料理を囲み、ねぎらいあう光景が見られた。

　日常的に向き合うのは辛い草刈りも、大人数でイベント化すれば、楽しくできる。「地区の住民と話せるのが何より楽しい」と喜んで参加する人や「気持ちよく汗をかいて、ストレス解消になる」と話す人もいる。主催する里山照らし隊の事務局、堀江智浩さんは「若い人たちが来てくれるおかげで、住民のモチベーションがあがった。本当に感謝している」と笑顔を見せる。

　定住しなくても、地域に貢献し、課題解決につなげることはできるのだ。

7．関係人口の可能性

　定住人口は、どこに住民票を置くかというゼロかイチかの選択となりやすいと考えられる。先に触れた「ゼロサム問題」が発生する懸念に対し、関係人口は、複数の関係先の地域を選ぶことができるのだ。各地域

が奪い合うのではなく、むしろ、関係人口という人材や、持っている才能、スキルを「シェア」（共有）する考え方だと言える。多少の競争は生まれる可能性はあるが、定住人口ほど過剰に奪い合う必要はないだろう。

　このシェアという考え方は、若い世代ほど定着している。2018年に当時の大学生たちが立ち上げた鳥取市用瀬町の体験型民泊施設「もちがせ週末住人の家」。週末住民は、週末だけその地域の一員として暮らすライフスタイルを指しており、こちらも関係人口のあり方のひとつと言える。実際、過疎地域の一つである同町に「もっと地域に関わりたい、人とつながりたい」という若い世代が集まってきている。同施設のコミュニティメンバー「週末住人's」は全国各地の120人が登録。つながりは都市より地方にまだ残っているということもあり、つながりを求める若い世代にとって地方は魅力的な存在に映るのだ。利便性が高い都市とつながりのある地方という両者を行き来しながら、「イイトコドリ」のライフスタイルと表現することもできるかもしれない。

　加えて、新型コロナウイルス感染症の影響は見過ごせない。関係人口をめぐっても、対面での面会や遠距離の行き来が一時的に難しくなった一方、代わりに応援したい生産者や飲食店のものを買い支える動きが各地で活発化した。遠く離れた人たちこそ積極的に購入し、「今こそ関係人口の出番だ」と口にする人たちもいた。

　こうした行動は「応援消費」とも呼ばれている（水越 2022）。これまでのものづくりは、大量生産・大量消費という大きな枠組みの中で、大量に物をつくり、大量に売りさばかなくては、成り立ちづらかった側面がある。どうしても「より安く」という価格競争が起こりがちで、つくり手が疲弊していくような構造だったと言い換えてもいいかもしれない。

　「応援消費」は上記とは異なっている。「安いから」「お得だから」ではなく「応援するために」物を買うという新しい行動様式。2011年の東日本大震災ごろから報告されるようになった。物を買うこと、その中で

も農林水産物は、食という日常生活の一部であり、手軽に行いやすいのではないだろうか。「消費は未来への投票」でもある。

8．気をつけたい「とりあえず関係人口」

　あらためて、島根県邑南町と雲南市の2つの事例に共通するポイントを3点挙げてみたい。1点目は、解決したい課題が明確であり、結果として、2点目に協働したい関係人口像が明確であるということだ。江の川鐵道は鉄道という地域資源に愛着があって生かしたい人、草刈り応援隊は草刈りを手伝いたい人を募っていた。そして3点目が、地域住民が関係人口に依存するのでもなく、一方的に利用するのでもなく、両者が一緒になって汗を流していることだ。

　これらは簡単に見えるかもしれないが、実は難しいのではないかと、全国各地のケースを見て感じている。少し単純化しすぎの面はあるものの、よりわかりやすくするために、冒頭のたとえを野球チームに置き換えてみたい。そうすると、関係人口は「助っ人外国人」になる。両事例とも自分たちのチームの課題と戦力を踏まえてどんな「助っ人外国人」が必要なのかをイメージして募り、いいチームをつくろうとともに力を合わせている。関わりがいのある魅力的なチームだと言えるのではないだろうか。

　関係人口政策に取り組む、または取り組もうとしている自治体で散見されるのが、自分たちのチームの課題や戦力を把握することなく、必要な「助っ人外国人」像も見えないまま、「内部の選手が減っているんだから、とりあえず一人でも多くの助っ人外国人を呼んできたらいい」という「とりあえず関係人口」に陥っていないか、ということだ。

　人口減少時代となった今、確かにチームメンバーは減り簡単に増えないという状況ではあるが、その対応策は、関係人口の創出・拡大だけではないと考えられる。たまに「関係人口が何の役に立つのでしょうか」と聞かれることもある。それなら一度、立ち止まってほしい。その質問

が意味しているのは、自分たちの課題や戦力、そして必要としている関係人口像が意識できていないということと同義で、そのまま進めても、取り組みがうまくいくどころか、関わる関係人口にも、地域住民にも失礼になりかねない。

　大切なのは、メンバーは減るということを前提に、いいチーム、つまり幸せに暮らしていける地域をどうつくっていくかということではないだろうか。関係人口を増やすことだけが唯一絶対の選択肢ではない。今一度、人口減少時代を踏まえたうえで、自分たちはどんな地域をつくりたいのか、その実現のためにどんな選択肢があるのかを検討するという原点に立ち返るところから始めてみてほしい。

9．関係人口の課題

　その上で、マクロ的な視点に立って政策的に捉えたときの関係人口の論点は、大きく2つ挙げられる。まず、先ほど述べた応援消費のスタイルを除けば、関係人口は地域間を移動するということが基本的には想定される。継続的な関係を育むには、関係人口が負担する移動のコストをどう抑えていくかは無視できない。単純に税金を使って支援すればいいと言いたいわけではなく、例えば公共交通機関の空席を関係人口に安価で販売するといった工夫も検討する価値があるのではないだろうか。

　もう1つが、コーディネート機能の充実だ。地域に関わってみたい人たちにとって、どう地域との最初の接点やきっかけをつくればいいのか見えにくい、という声を聞く。受け入れる地域の側も、関係人口側の希望も聞きながらではあるが、地域の課題解決とうまくつなげていくことができれば、都市と地方のwin-winな関係づくりに資するはずだ。そのためには、コーディネーターのようなつながりづくりを担い、継続的にサポートする機能が求められる。その財源を誰がどう負担するのかは考えるべき論点の1つだろう。

　また、各地の自治体から相談されるのは、関係人口の創出・拡大を政

策化した際の目標設定だ。よくあるのが定住人口増につなげる目標。否定はしないが、それ「だけ」にならないことが重要だ。それ「だけ」なら実質は定住政策と変わらないからだ。

　例えば、前述の「草刈り応援隊」の取り組みでは、草刈りの負担軽減はもちろん、楽しい交流が生まれ、住民のモチベーションが大幅に上がったことが何より喜ばれていることを紹介した。もし目標が定住人口増だけであれば、全く評価されないことになる。それでいいのだろうか。住民の負担軽減、そして質的変化にこそ、着目すべきだ。

　あらためて関係人口の定義に立ち戻れば、関係人口とは必ず課題解決に関わる人たちというわけではない。その上で、地域の立場に立って課題解決の重要性を考えたとき、その「担い手」の選択肢の一つが関係人口だととらえてほしい。数値目標が必要な場合は、課題解決に必要な人数を設定するというアプローチを提案したい。草刈り応援隊も50人を募っているが、一度の草刈りに必要な人数だからだ。ほかにも関係人口との協働プロジェクト数という目標設定もあるかもしれない。

10.　おわりに

　最後に、冒頭に紹介した人口データについて再度考えたい。総務省の人口推計によると、2023年1月1日現在の総人口は1億2,541万6,877人で、2022年からの1年間に80万523人の減少となった。全都道府県で減少している。総人口は2005年に戦後初めて前年を下回った後、2009年にピークとなり、14年連続で減少している。

　さらに国立社会保障・人口問題研究所（2017年）の推計では、2065年には総人口が8,808万人となり、この50年間に約3割の人口を失うことになる、とまとめられている。同研究所は、日本では歴史上、このような長期にわたって恒常的に人口減少が起きたことはなく、「わが国の21世紀は、まさに人口減少の世紀と言えるだろう」と述べている[4]。

　人口減少を食い止める視点や取り組みは確かに重要で、これからも進

めていく必要がある。しかし一方で、これらのデータを踏まえると、当面人口が減ることを前提に、言い換えれば、人が減っても人が少なくても、幸せな社会をどう構築していくのか、というもう一つの問いに、より具体的に向き合う必要があるのではないだろうか。

　各地域で見ても、定住人口は減っていくだろう。ではあらためて、課題解決は定住していないとできないのだろうか？　定住していなくても、力を合わせて課題解決ができる点に、関係人口と協働する意義と魅力がある。関係人口は課題解決の新しい「仲間」になりうるのだ。

【注】

1）総務省（2023）「住民基本台帳に基づく人口、人口動態及び世帯数（令和5年1月1日現在）」https://www.soumu.go.jp/main_content/000892947.pdf（2024年1月8日閲覧）
2）国土交通省（2021）「関係人口の実態把握」https://www.mlit.go.jp/kokudoseisaku/content/001391466.pdf（2024年1月8日閲覧）
3）総務省（2023）「地域運営組織の形成及び持続的な運営に関する 調査研究事業 報告書」https://www.soumu.go.jp/main_content/000875019.pdf（2024年1月8日閲覧）
4）国立社会保障・人口問題研究所（2018）「日本の将来推計人口：平成29年推計の解説および条件付推計」https://www.ipss.go.jp/pp-zenkoku/j/zenkoku2017/pp29suppl_reportALL.pdf（2024年1月8日閲覧）

【付記】

　本稿は、田中輝美（2023）「人の奪い合いから分かち合いへ「関係人口」という選択」『中央公論』137（6）p56-63を元に、加筆修正を加えたものとなる。また、日本学術振興会科学研究費（課題番号22K18107）による研究成果の一部である。調査にご協力いただいた皆様にも感謝を申し上げる。

【参考文献】

指出一正（2016）『ぼくらは地方で幸せを見つける』ポプラ社.

高橋博之（2016）『都市と地方をかきまぜる──「食べる通信」の奇跡』光文社.

田中輝美（2021）『関係人口の社会学──人口減少時代の地域再生』大阪大学出版会.

増田寛也（2014）『地方消滅──東京一極集中が招く人口急減』中央公論新社.

水越康介（2022）『応援消費──社会を動かす力』岩波書店.

山下祐介（2022）『地方消滅の罠─「増田レポート」と人口減少社会の正体』筑摩書房.

COLUMN 05　新たな地域人口政策──「大人の島留学」：
“還流”を起こすことで変わる島の風景

関　耕平・濱中香理・永見すみれ・西村茉奈美
（島根大学・海士町・法文学部法経学科３回生）

　海士町はこれまで、島の資源を活かした産業振興や島前高校魅力化プロジェクトなど、特色ある政策を次々と打ち出し、地域再生のフロンティアとして全国的に注目されてきた。図１は海士町の人口動態である。国の将来予測を600人以上も上回り、2020年からの２年間では50人の純増となっている。こうした人口動態の背景には、2020年から島前３島で新たに取り組んできた「大人の島留学」がある。

「大人の島留学」のはじまり

　人口減少により廃校の危機に陥った隠岐島前高校は、2008年から高校魅力化プロジェクトに取り組んだ。地域課題の解決に向けた学びや公営塾の創設など、独自のカリキュラムによって高校の魅力を高めて全国から生徒を集め、島留学生として受け入れた。その結果、入学者は大幅に増加し、１クラス増を実現するまでに至った。魅力化プロジェクトは、地域への愛着を高めて若者の地元定着を図るものではない。強く外に飛び出せば飛び出すほど、むしろ勢いよく帰ってくるという「ブーメラン効果」、つまり、生徒たちが島外で様々な経験を積んだうえで起業家精神を身に着け島へ戻り、島の担い手となってくれることを意図していた。

　しかし、魅力化プロジェクトから10年以上経過しても、島に戻るという人の流れはなかなか起きなかった。島の現状を知らない若者に対して「移住」や「定住」、「就職」をいきなり求めるのはハードルが高すぎたという反省から、若者が島に戻るきっかけを仕掛ける工夫として「大人の島留学」が誕生した。

「大人の島留学」と島の変化

　「大人の島留学」制度とは、2020年から開始された「就労型お試し移住制度」のことである。３ヶ月～１年の滞在期間（希望により更新あり）で20歳～35歳の若者を受け入れ、2023年度には島前３町村で、のべ130名超が滞在している。

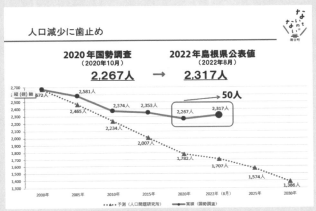

出所）海士町役場資料を一部改変

図1　人口の推移（国の予測値と国勢調査の比較）

　「大人の島留学」の政策目的は「滞在人口を獲得することで還流を生み出すこと」である。ここでいう「滞在人口」とは、地域に仕事・学びなどを理由として一定期間島に滞在し、地域に暮らしながら人や仕事、文化に触れている若者のことを指す。こうした人の"還流"を巻き起こすことで、島の産業において人材が常に入れ替わり、地域・組織に多様性・流動性をもたらしながら、働き手を確保することが可能になった。こうした滞在人口のなかには滞在期間の延長を希望する人も多く、最終的には１～２割が島への定住を選択している。

　"還流"によって人の流動性・多様性がもたらされることで、新たな価値観もまた島に吹き込まれている。例えば牡蠣養殖の現場では、若者たちがブルーやピンク、黄色のつなぎを着ることで華やかな雰囲気へと変わり、「漁業は男性の職場」という島民自身の先入観が払拭された。さらに「かんこ船」と呼ばれ、それまでは忘れ去られていた伝統的な手漕ぎ船が、若者の視点からは新鮮に映り、島の人がその漕ぎ方を若者に教え復活するなど、島にあるものの再評価・再発見にもつながっている。このように、島外から島内への人の流れを創ることで、島内での発想・価値観の転換や、既存のものについての価値の再発見・再評価をまき起こし、島の豊かさへとつながっている。

　地域人口政策がこれまで目標としてきた定住人口の獲得という発想は、全体として人材の奪い合いになり、ゼロサム問題を生むという弱点があった。「大人の島留学」や"還流"という新たな発想は、自治体間競争をあおる国の地方創生政策——各地域が「人材を奪い合う」という構図——を乗りこえる可能性を持った、新たな地域人口政策として注目していくべきだろう。

【付記】

　本稿は、2024年1月28日開催の島根大学法文学部・山陰研究センター主催シンポジウム「『新たな価値』の萌芽は地域にある—地方からのオルタナティブ—」における濱中香理氏（海士町郷づくり特命担当課長・教育委員会共育課長）の報告「なぜ若者は『大人の島留学』に惹かれるのか—"還流"を起こすことで見える島の風景」および、現地ヒアリング調査（2023年9月実施）をもとに、執筆したものである。

COLUMN 06

島根大学におけるデジタル人材育成

島根大学数理データサイエンス教育研究センター　瀬 戸 和 希
島根大学総合理工学部　数理データサイエンス教育研究センター　黒 岩 大 史

　朝、スマートフォンに設定したコンシェルジュがセットした目覚ましで起床し、ランチタイムに訪れた飲食店ではロボットが料理を配膳し、帰宅した家は掃除ロボットによって綺麗に清掃され、そして、いつもの動画サイトにアクセスすれば、自分の好みを先読みし、オススメの動画が提供される。そんな日常が当たり前の光景になるほどに、今や我々の日常に人工知能（以下、AI）が浸透しつつある。

　AIは人間の脳の仕組みを真似ることで、コンピュータの黎明期から実現が試みられてきたが、2006年に提案された深層学習（ディープラーニング）がブレイクスルーとなってAIは驚異的に進展した。その後2017年には自然言語処理に優れたAIモデルが提案され、その仕組を用いた対話型AIであるChatGPTは、驚くほど自然で的確に回答することが話題となり、2022年11月に公開されてからわずか2ヵ月でユーザー数が1億を突破した。今や精度の高い文章、画像、動画、音楽などを生成できるAI（生成系AI）も登場し、当初は難しいと考えられていた高度かつ知的なタスクにおいても優れた性能を発揮するようになった。AIによるタスクの代替は、生産性や利便性を向上させ、熟練者の引退で労働人口が減少している超少子高齢化社会の我が国において、バブル崩壊以降の停滞した30年を打開する有効な手段であると考えられている。

　このようにAIの有用性は十分に認知されている一方で、我が国においてAIを導入している企業は、主要国の中で最も少ないことが総務省により報告されている。このような状況を打開するため、政府はAI戦略2019を策定し、文理問わず全ての大学・高専生が数理・データサイエンス・AIに関する基礎的な知識や技術を修得することで、AI社会に必要とされる人材育成を行うこととした。令和5年8月現在、島根大学を含む全国の大学や高等専門学校において、リテラシーレベルの教育プログラムを382件、その上位の応用基礎レベルの教育プログラムを146件展開している。

　ところで、優れたAIを作る際や、精度の高い意思決定を行う際には、膨大な「データ」の収集とその解析が欠かせない。前出のChatGPTでは約3,000億の単語等で事前学習されており、またデータ経営を打ち出しているワークマンは10期連続最高益を更新している。AI利活用のカギは、「DX化」の第一段階、すなわち対象の行動や要求に関するデータが自動的に収集されるインフラの整備である。我が国のAI利活用に遅れが生じている実体は、AIを構築する技術者の不足よりも以前に、DX化を推進しAIを戦略のひとつとして組み込むAIストラテジストの不足にあると我々は考える。実際、AI導入やDX化に予算や人員をかけても成果が出るまでにはおおよそ７〜８年かかると想像されるため、キーマンであるAIストラテジストが育っていなければ誤った方向にDX化が進み、費やした予算やリソースが徒労に終わる可能性がある。したがって、高等教育機関においては望ましいDX化を導くAIストラテジストを育成するため、統計的思考力とAIの本質が理解できる程度の分析力とエンジニアリング力をより多くの学生に身に付けさせることが肝要である。

　島根大学ではこのような状況に対応した教育プログラムを提供している。リテラシー教育の中核たる「数理・データサイエンスへの誘い」では、データの可視化や読み取りといった基本技能に加え、深層学習や生成系AIの基本的な仕組みとその脆弱性に触れ、それによって起こりうる問題を知ることで、多様性を包括した社会の実現に向けたAIの活用についても学習する。また応用基礎レベルへの架け橋として実施している「Excelによるデータ分析」では、統計的手法の考え方や分析結果の解釈を学習するだけに留まらず、紙ヘリコプターの作成・飛行実験も交えながら、質の高いデータを収集することの難しさが体験できる。応用基礎レベルに相当する「データサイエンス基礎」および「AI基礎」では、pythonを用いた機械学習について学習し、文字判別などの具体的な課題の考察を通して、これまでに学んだデータサイエンスに関する知識・技能を自らプログラミングすることで、エンジニアリング力を高めることができる。このように当プログラムでは、統計的思考力・データ分析力・エンジニアリング力をバランスよく身に付けることのできる。さらに、これらをベースとし、今後開講予定の「データサイエン

スPBL実践」では、現実社会の課題に触れながらAIストラテジストとしての実践的演習ができる。また、島根大学で展開している教育の一部は、県内の教育機関や自治体、企業等に対して提供しており、これらの教育活動を通して、島根大学のみならず島根県の発展、ひいては我が国全体の発展のために貢献したい。

第5章

生活者としての外国人が暮らしやすい包摂社会
―「ことばのヤングケアラー」に焦点を当てて―

島根大学法文学部　宮 本 恭 子

1．はじめに

　人手不足の深刻化が叫ばれる中、政府は、製造現場などで外国人が働く「特定技能」で、家族帯同できる業種を大幅に拡大するなど受け入れを進めている。今後、伴われて来日する配偶者や子どもと暮らす外国人労働者の増加に伴い、外国人政策は受け入れ政策だけでなく、帯同家族が安心して暮らせる生活支援策の整備がいっそう求められる。なかでも生活におけるコミュニケーションは必須であり、その際の通訳や翻訳のニーズが高まってきている。

　こうした中、両親は、日本語を話せず、読み書きもできないため、学校で日本語を学んでいた子どもが、ことばの面で一家を支える「ことばのケア」の問題が浮上している。こうした子どもを「ことばのヤングケアラー」と言い、病院や市役所に行く両親の「通訳」として付き添うために学校を休んだり、学校からの手紙を翻訳したり、両親の年金のための書類を代わりに書いたりする[1]。幼い子どもが日本語をまだ十分に身につけられていない段階で、学校を休むことで勉強に遅れが出てしまうことが心配される。

　政府も、「ことばのヤングケアラー」への支援策として、令和5年度から「外国語対応通訳派遣支援通訳事業」を開始した[2]。都道府県等は、日本語が第一言語でない家族が、子どもの通訳に頼らずとも病院や行政等の手続を行えるようにするため、通訳を派遣又は配置支援を実施する。

今後は、このような支援策も利用しながら、子どもが「ことばのケア」を担うことで、教育面での遅れや生活への影響が出ないようにするための支援が急がれる。ただし、「ことばのヤングケアラー」については、政府も子どもが担う多様なケアのひとつに位置づけて支援の対象としているが、その実態はまだ十分に把握されていないままである。

　本稿では、帯同家族を伴う外国人労働者が増加している島根県出雲市を対象に、就労者の帯同家族である子どもが担う日本語への対応、すなわち「ことばのケア」の実態について検証することを通して、外国籍の親とその子どもが地域で安心して暮らせる家族支援のあり方を検討する。また、これらを踏まえて「ことばのヤングケアラー」問題を契機に問い直すべき、外国人を含む多様な市民が包摂される社会のあり方について考察する。

2. 島根県出雲市における外国人の状況

2−1　国籍別・在留資格別外国人住民[3]

　出雲市に居住する外国人・外国出身者の数は、地域経済の状況を反映して年々増加する傾向にある。2023年3月末時点の市内における外国人住民は4,409人、同市の人口に占める割合は2.5%である。外国人住民は増加する傾向にあるが、雇用動向等により短期間で変動がみられる年もある。令和2年国勢調査の「人口等基本集計」によると、総人口に占める外国人の割合は2015年の1.5%から2020年に2.2%に上昇しているが、出雲市の外国人の割合は全国平均を上回る高さとなっている。

　国籍別にみると、ブラジル人が最多の3,035人で、市内外国人住民の68.8%を占める。次に、ベトナム人436人、中国人227人、フィリピン人221人が続く。同市には複数の電子機器の生産拠点が立地しており、そこで日系ブラジル人労働者の増加が著しい。出雲市の外国人はブラジル人が多いが、ベトナム人を中心にブラジル人以外の外国人も増える傾向にあり多国籍化が進んでいる。

　一世帯当たりの人数は、2015年1.51人、2016年1.51人、2017年1.51人、2018年1.53人、2019年1.53人、2020年1.58人、2021年1.58人、2022年1.63人、2023年1.67人で微増傾向にある。ブラジル人の1世帯当たりの人数は、2015年1.46人、2016年1.46人、2017年1.49人、2018年1.55人、2019年1.92人、2020年1.70人、2021年1.69人、2022年1.71人、2023年1.82人で増える傾向にあり、家族帯同のブラジル人労働者が増加傾向にある。5年間出雲市に住んでいる外国人は、2018年3月末681人から2023年3月末1,520人と増加傾向にある。働き盛りの年代で転入してきた定住者は、家族で来雲するようになり、単身滞在から家族滞在に変わり、長期滞在や永住する人が増える傾向にある。

2-2　外国籍住民の生活実態

（1）調査の概要

　次に、「2019年度島根県外国人住民実態調査（出雲市分）」から出雲市の外国籍住民の生活上の現状と課題を考える[4]。調査対象者は出雲市在住の20歳以上の外国人住民1,050人である。回収数（率）は出雲市247人（23.5％）であった。回答者の国籍はブラジルが最も多く69.7％である。次いで中国、フィリピン、ベトナムとなっている。調査項目は回答者の属性、日本人との交流、日本語能力、日常生活について、子どもについて、困っていること、差別や人権侵害について、防災等、行政からの情報やサービスについてである。

（2）調査項目への回答

　近隣の日本人との交流について、「あいさつをする程度」55.1％や「あいさつのほかに時々話もする」21.0％、「親しく交流している」7.3％で約8割を占め、「特に交流はない」15.0％を多く上回る。

　日本語能力については、日本語を書く能力は、「ほとんどできない」が70人（28.3％）であり、「聞く」、「話す」、「読む」と比べて「ほとんどで

きない」との回答が増えている。

　子どもの有無については、「いる」136人（55.1％）が、「いない」105人（42.5％）を上回り、子どものいる家庭が多い。子どもの日本語能力については、日常生活でのコミュニケーションはできるが、日本語の授業を理解するのは困難な状況がうかがえる。子どもの教育で心配なことについては、進学や学習面の遅れ、学校生活などでの心配が多い。

　日常生活の困りごとでは、在留期間5年未満では、病気やけがをしたときのことを心配している人が多く、病院受診や病気をした時の対応に不安がある様子がうかがえる。病院での言葉の対応については、「日本語のできる家族や友人を連れて行く」74人（30.0％）と回答した人が最も多く、「通訳を雇って行く」59人（23.9％）など、病院受診に通訳が必要な人は半数以上であった。病院受診には、通訳のための家族同行が多いことがうかがえる。

　行政サービスを利用するための情報源は、「SNS（Facebook、Twitterなど）」が最も多い。行政サービスの希望としては、「日本文化、生活習慣、日本語などを学ぶ機会の充実」が最も多く、続いて「行政の窓口における通訳の充実」、「行政情報の多言語化の充実」が多い。

3．出雲市の日本語支援

3−1　児童・生徒への日本語指導[5]

(1) 出雲市の外国にルーツをもつ子どもの特徴

　以下では、児童・生徒への日本語指導についてみてみよう。市立小中学校において日本語指導の必要な児童生徒は、年々増加している。平成24年（2012）5月時点は23人であったが、令和2年（2020）は189人とピークに達し、令和3年160人、令和4年168人、令和5年154人と、160人前後で推移している。

　出雲市の外国にルーツをもつ子どもは、ブラジルルーツの子どもが大多数であるため、ポルトガル語支援に重点が置かれており、ブラジル以

外のルーツの子どもへの母語支援が行き届きにくい状況にある。また、長期滞在を希望して家族帯同で来日しても、雇用動向等によって短い期間での転出もあり、転出・転入に大きな波がある。幼少期から日本で生活している子どもが増えており、生活言語をある程度習得しても、学習面では困難さが出てくるケースが多い。

（2）出雲市の日本語指導

出雲市の日本語指導の基本施策は以下の4点である。

①「日本語指導拠点校制度」の導入による日本語指導の充実

・日本語指導が必要な児童生徒の在籍数が多い6校（塩冶小学校、四絡小学校、中部小学校、第二中学校、第三中学校、斐川西中学校）を拠点校として設置した。拠点校には、17人の教員免許を保有する日本語指導担当教員が配置され、個別指導計画を作成し、日本語指導を行う。

・日本語指導・支援体制を集中化し、より充実した指導・支援を実施する。

・母語支援員（翻訳通訳支援員、日本語指導補助員）によるポルトガル語支援

・指定校を居住地の学校から日本語指導拠点校に変更することが可能になった。

②日本語指導員による期限付き初期・中期日本語指導

市が雇用した日本語指導員による継続的な日本語指導。

③「日本語初期集中指導教室」での指導

「日本語初期集中指導教室」の目的は、日本の学校のルール・マナー・簡単なコミュニケーション、ひらがな等を学び、安心して在籍校で学校生活を過ごせるようにすること、保護者に日本の学校生活について理解してもらい、来日直後の不安感を軽減すること、学校（教員）の来日児童生徒転入時の負担軽減を図ることである。対象は、来日

直後の日本語ステージレベル0の児童生徒で、指導時間は80時間（4時間×20日）である。

④キャリア教育の実施

対象児童生徒、保護者に対するキャリア教育を実施する。

(3)「日本語指導」を受けている生徒の進路状況

「日本語指導」を受けている生徒の過去10年間の進路状況をみると、公立高等学校進学は約25％、私立高校進学は約55％、就職・その他は約20％である。全体の約8割の生徒が高等学校へ進学しているが、受験科目等の影響もあり、進学者の多くは私立高校へ進学している。進学しない生徒の割合（約20％）は、日本人の生徒に比べて著しく高い。進学しない生徒の進路は、就職やアルバイトが多く、帰国する者も含まれる。

3-2 地域での日本語支援[6]

出雲市では、第1期多文化共生推進プランの策定前後から、様々な活動が行われてきた。具体的な取組は、多文化共生の地域づくり、コミュニケーション促進、安心して暮らせる環境づくり、多文化共生社会の実現のための体制整備である。

市においては、市役所関係書類等の多言語化、市役所窓口等での多言語通訳体制の充実、フェイスブック等による多言語情報の発信、学校での日本語指導体制、通訳・翻訳体制の充実、外国人の就労を促進する機会の提供、外国人向け防災訓練の開催、多文化共生の理解を促進する研修会の開催、やさしい日本語普及研修会の開催等がある。

コミュニケーション促進については、（1）情報の多言語化と情報伝達手段の確保（行政情報の多言語化、SNSを活用した情報発信）、（2）地域社会で共に暮らしていくための取組（翻訳や通訳等でのICT技術の活用促進、日本語教室の充実、外国語教室の開催）、（3）やさしい日本語の活用促進（やさしい日本語を用いたコミュニケーションの促進）等の取組

がある。

　出雲市では、市立小中学校において日本語指導の必要な児童生徒が年々増加するなか、多様なニーズに対応するため、市独自の指導体制を整備し、個別指導体制を充実することで、多くの児童生徒が基本的な日本での学習・生活習慣等を理解することができるように取り組んでいる。その結果、生活言語をある程度習得している子どもが増えており、子どもが両親よりも日本語が堪能なケースでは、子どもが親の通訳や翻訳を行う「ことばのケア」が生じてくる。

3－3　「コミュニティ通訳ボランティア」の派遣事業[7]

　公益財団法人しまね国際センターは、平成18年より「コミュニティ通訳ボランティア」の派遣事業を開始した。これは、県内の外国人住民のために、生活上の対話の場面で通訳をして意思疎通を円滑にするボランティア制度である。ボランティア養成講座[8]を受講し、登録面接に合格した人のみが登録できる。令和５年の派遣実績は85件であった。令和２年以降は、新型コロナウイルス感染拡大防止のため、派遣を休止する期間もあったが、派遣は年々増えており、そのうちの７割近くが医療分野での利用で、行政手続きなど多岐にわたる。

　英語、中国語、ポルトガル語、タガログ語、韓国語、スペイン語に対応するが、依頼言語は英語が最も多く、近年ではポルトガル語が増えている。

3－4　請負会社による通訳支援[9]

　家族帯同の外国人労働者の増加にともない、家族が受診する際の通訳ニーズが高まっている。これまでにも外国人患者の受診はあったが、電子機器の工場労働者であれば、実際に外国人を雇用している請負会社から通訳の付き添いがあることも多く、さほど大きな問題となっていなかった。このような工場労働者は電子機器会社に直接雇用されるのではなく、

電子機器会社と製造請負を契約した請負会社に雇用され、この企業の社外工として働いている間接雇用である。

　請負会社は生活のニーズごとに専属の通訳を配置し、きめ細やかな支援を行う。例えば、病院の付き添いや子どもの教育面での支援などである。病院の付き添いを希望する者は多く、予約をして順番に対応するほどである。また、出雲市で多文化共生を推進するNPO法人にも無料で請負会社の通訳を派遣し、補助金の支援も行っている。まさに、請負会社は外国人労働者が日本で生活するための『生活代行』の役割を果たしており、このことは直接雇用にはないメリットである。しかし、最近では家族の受診時の通訳希望が増えており、通訳同伴とは限らないケースも多くなってきている。

4.「ことばのヤングケアラー」の現状と課題

4-1　データ及びヤングケアラーの抽出

　以下では、島根県出雲市の「ことばのヤングケアラー」の実態を把握するために、「令和元年度島根県子どもの生活実態調査」[10] の二次分析を行った。本調査では、質問項目の「家族の介護・看護（着替えなどの介助、お薬の管理など)」を「ほとんど毎日」「週に2～3回」していると回答した者を「ヤングケアラー」として抽出し、調査対象とした。また、「家族の手話や外国語の通訳」を「ほとんど毎日」「週に2～3日くらい」していると回答した者を「ことばのヤングケアラー」として抽出し、調査対象とした。

4-2　分析結果

(1) 島根県のヤングケアラーの実態

　島根県のヤングケアラーは、小学生176人、全体の3.9％で、そのうち「ほとんど毎日」と回答した者は35.8％である。中学生は119人、全体の2.9％で、「ほとんど毎日」と回答した者は30.3％であり、高校生は105人、

全体の2.7％で、「ほとんど毎日」と回答した者は23.8％であった。

(2) 「ことばのヤングケアラー」の実態

　島根県内で日本語を第一言語としない家庭の子どもは、小学5年生68人、中学2年生61人、高校2年生39人で、そのうち、家族の外国語の通訳を行っている子どもは、小学5年生16人（24％）、中学2年生13人（21％）、高校2年生5人（13％）である（表1）。家族の外国語の通訳を行っている「ことばのヤングケアラー」は、ヤングケアラーと比べ小学生5年生では約6倍、中学2年生では約7倍、高校2年生では約4倍となっており、外国にルーツを持つ子どもは、ヤングケアラーになる可能性が高いことがわかる。

表1　日本語通訳をしている「ことばのヤングケアラー」

	外国籍の家庭	家族の外国語の通訳を行っている子ども（ほとんど毎日・週に2〜3回）
小学5年生	68人	16人（24％）
中学2年生	61人	13人（21％）
高校2年生	39人	5人（13％）

4-3　「ことばのヤングケアラー」に対するインタビュー調査

　次に、「ことばのヤングケアラー」の実態についてみてみよう。「ことばのヤングケアラー」の現状と課題を把握するために、出雲市在住の「ことばのヤングケアラー」であった者を対象にインタビュー調査を実施した[11]。調査内容は、通訳していた期間、通訳をしていた場面、他に利用していた通訳サービスの有無・種類、通訳していたことによる影響、属性（年齢、家族構成、来日時期、主たる家計支持者が間接雇用の工場労働者かどうか）である。

(1) Aさんインタビュー

　Aさんは現在19歳である。4歳で来日し、小学2年生から今日まで、日本語の読み書きができない両親に代わり、学校関係の書類や郵便等の生活面での翻訳を行ってきた。中学生になってからは、父親が経営するレストラン事業に関する書類の翻訳も役割になった。小学生の時は、学校の手紙に書かれている文章の意味も分からないまま翻訳することが多く、とても大変だったと語った。また、親のレストラン経営に関する書類の翻訳は、専門用語が多くことばの意味が分からないため、時間がかかるなど負担も大きく、自分の学習時間が少なくなったということである。当時は、今日のように外国籍の子どもは多くなく、学年に彼女ひとりであったこともあり、学校での外国人の子どもへの支援はほとんどなかった。

　「小学2年生で学校からの手紙をすべて翻訳し、返事を書いて提出するのは大変だったでしょう」とインタビューすると、「大変だったが、当時は、それが当たり前だと思ってやっていたので、学校の先生を含め誰かに相談するという発想は全くなかった」という答えが返ってきた。子どもから相談するのは難しいことを改めて認識させられた。Aさんの親は、職場では英語でコミュニケーションするため、日本語を使う必要がなく、生活面で子どもに頼れば、日本語でコミュニケーションできなくても支障なく生活できる。

(2) Bさんインタビュー

　Bさんは現在22歳で、出雲市在住、夫（日本人）と子ども2人（長女3歳、次女4か月）の4人家族である。両親は近隣に住んでいる。来日は3歳で、両親と祖父母の5人家族であった。3歳から中学3年生の3学期途中まで浜松市に居住し、その後、松江市の東出雲町に引っ越した。当時町内に外国人家庭はBさんの家庭のみで地域で目立っていた。学校でも目立ちいじめられたが、卒業まで2週間であったのでなんとかやり

過ごした。

　小学４年生から家族の通訳をしていた。最も多かったのは病院受診時の付き添いであった。受診時の通訳は医療の専門用語が難しく大変であった。両親は日本語教室に数回通ったが、仕事をしながら学ぶのは大変で続かなかった。結婚してからも通訳で両親に呼ばれることは多い。

　通訳で最も嫌だったのは、電話通訳で親から頼まれて、クレジットカード支払いを分割払いやリボ払いにする内容を通訳していたことである。リボ払いなど意味の分からない言葉を通訳するのはとても難しかった。買い物時には、母親にスーパーマーケットで「これ何？」と聞かれることが多かったが、漢字が読めず答えられないと、「学校で習っているのに、なぜ、分からないの」と怒られた経験がある。母親は学校の三者面談時に「学校で何を教えているの。子どもは漢字が読めない」と言ったことがあり、とても恥ずかしい思いをした記憶がある。ブラジルではアルファベットが分かれば全て読めるので、漢字を読めないということを母親は理解できていなかった。家族の通訳のために学校を休んだことはなかった。

　現在は、３歳の長女に、日本語と母国語の両方を教えているので大変である。出雲市では、近年、来日してから出産する家庭が増えている。その場合、子どもに母国語を教えるのが大変である。他の自治体では母国語支援の事業を行っている自治体もあるので、出雲市でも今後は日本語支援だけでなくポルトガル語の母国語支援を始めてほしい。

　副業で通訳を行っている。月額６万円くらいの収入になる。ブラジルママのコミュニティ（出雲市で登録者350人）、ブラジルコミュニティ（寄付やつながりのコミュニティ登録者422人）のSNSでのコミュニティで広報している。通訳希望者は多く、インタビュー当日も午前中３件、午後１件依頼が入っていた。通訳の依頼内容は、病院受診時の付き添いが多い。

5．まとめ

　本稿では、生活言語をある程度習得した子どもが、日本語が苦手な外国人の親の通訳を担っている「ことばのヤングケアラー」の現状と課題を明らかにした。これに併せて、「ことばのヤングケアラー」問題を契機に問い直すべき、外国人を含む多様な市民が包摂される社会のあり方について考察する。

　帯同家族や呼び寄せを伴う外国人労働者の増加に伴い、伴われて来日する配偶者や子どもが増えている。これらの外国人には就労支援とともに生活支援も必要であるが、コミュニケーションの問題を中心に、子どもが親の通訳・翻訳を担う「ことばのケア」の問題が生じている。子どもは親に頼まれてケアしている認識がないままに長期間「ことばのケア」を行うことで負担を感じているケースが多い。

　問題は、親への日本語支援だけでは問題解決には至らず、家族全体を支援の対象とする視点を持たなければ、子どもが担う「ことばのケア」の問題は見えにくいことにある。このように、「ことばのヤングケアラー」問題の解決には、家族全体支援の視点をもつことが重要である。

　今後「ことばのヤングケアラー」を生まない社会を目指し、より多くの外国人労働者を受入れて、家族と暮らす外国人労働者が暮らしやすい社会を創っていくには、外国人労働者に対して社会参加、就労支援、生活支援を個別に行うのではなく、就労者と家族の両方を支援の対象とする家族全体支援の立場にたち、社会参加、就労支援、生活支援の課題への対応を総合的に進めていくことが求められる。外国人を労働者としてだけでなく生活者として受け入れるためには、外国につながる子どもと親の将来を見据えた対応として、家族全体支援の視点が必要である。親の支援が充分でないと「ことばのヤングケアラー」のように子どもに負担がかかる。日本が海外人材から選ばれる国になるためには、外国人労働者を受け入れる政策だけでなく、子どもの将来を見据えた対応や、家

族が安心して生活できる社会の仕組みの整備が求められる。

【注】

1）ヤングケアラーについては子ども家庭庁のサイトを参照のこと。
　〈https://www.cfa.go.jp/policies/young-carer/〉

2）ヤングケアラー支援体制強化事業
　〈https://www.cfa.go.jp/assets/contents/node/basic_page/field_ref_resources/e0eb9d18-d7da-43cc-a4e3-51d34ec335c1/2d5336ec/20230401_policies_young-carer_03.pdf〉

3）出雲市の人口（地区別、町別、国籍別）
　〈https://www.city.izumo.shimane.jp/www/contents/1528348823186/index.html〉

4）2019年度島根県外国人住民実態調査の集計結果（出雲市分）について
　〈https://www.city.izumo.shimane.jp/www/contents/1597899173930/files/jittaichosa.pdf〉

5）出雲市教育委員会の提供資料による（令和５年10月10日）。

6）出雲市総合政策部政策企画文化国際室の提供資料による（令和５年10月10日）。

7）公益財団法人しまね国際センターの提供資料より作成（令和５年10月２日）。

8）指定講座は、本センターのコミュニティ通訳事業以外の事業や外部の団体により主催／実施される講座で、コミュニティ通訳ボランティアの活動の参考になる内容と認めたものを「指定講座」として登録者に案内している。コミュニティ通訳の登録は、養成講座を受講後に面接を経て行われるが、登録後は原則として登録日の年度開始日から毎年度登録の更新を行う。更新を希望する登録者は、登録期間満了までに、コミュニティ通訳の勉強会、または当センターが指定する講座を１回以上受講しなければならないことになっている。

9）宮本恭子（2017）「持続可能な社会に向けた外国人労働者の受け入れに関する研究」『山陰研究』10，pp.1-19

10）島根県子どもの生活に関する実態調査報告書
　〈https://www.pref.shimane.lg.jp/education/child/kodomo/kodomonohinkon/jittaityousakekka.data/gaiyou.pdf〉

11) 令和5年9月24日に出雲市内のインタビュー者の親が経営するレストラ
   ンでインタビューを行った。

【参考文献】
宮本恭子（2017）「持続可能な社会に向けた外国人労働者の受け入れに関する
   研究」『山陰研究』10，pp.1-19.
徳田剛・二階堂裕子・魁生由美子（2019）『地方発　外国人住民との地域づく
   り』晃洋書房
岩成俊策（2023）「食の現場からみた日系ブラジル人と出雲―ブラジル料理店
   「パイゾン」と農業への取り組み―」『山陰民族研究』28，pp.27-34.

COLUMN
07　外国人と多文化共生

島根県外国人地域サポーター（出雲市）　堀 西 雅 亮

　2024年は、石川県能登地方を震源とする大地震とともに明けました。発災直後から様々なメディアにより、災害の状況、避難などに関する情報が「やさしい日本語」や日本語以外の言語でも発信されました。一方で、いち早く支援活動を始める外国人住民の姿もありました。

　「多文化共生」という言葉と取り組みが今日のように広がったきっかけの一つが、1995年の阪神淡路大震災でした。有志の人々により、外国人住民への多言語での情報提供が発災翌日には開始され、その活動を元に「多文化共生センター」が設立されます。災害時はもちろん、外国人住民が直面している多くの困難を解決し、言葉や文化のちがいにかかわらず誰もが安心して生きられる社会─「多文化共生社会」をめざす取り組みは、その後各地の自治体や国際交流協会、民間団体を中心に広がっていきます。

　そこから29年が経過し、在留外国人が過去最多となる（2023年６月末、出入国在留管理庁統計）一方で、様々な社会不安が高まる今、あらためて「多文化共生」について問い直してみたいと思います。

　多文化共生は、「外国人支援」の取り組みと捉えられることが少なくありません。実際、災害時には「外国人」は「要配慮者」に位置づけられ、情報、文化・習慣などの面で様々な配慮や支援が必要だとされます。地域や学校では「日本語が話せない」「外国人」への日本語教育が実施され、仕事の面では雇用が不安定になりがちな「外国人」に就労支援が行われています。

　一方で、災害時の支援活動に参加したり、フードバンクに食糧を提供したりする「外国人」もいます。私自身も、外国出身の方々からそういう支援の申し出を受けることがあります。子どもたちが自分の母語を教えてくれることもありますし、専門的な知識や技術を生かして企業で活躍する「外国人」もいます。にもかかわらず、多文化共生が「外国人支援」と捉えられるのは、「外国人」を「少数者」「イレギュラーな存在」と位置づけ、「○○ができない人」「支援が必要な人」という立場に追いやってきたことが背景にあることは否め

せん。その結果、支援する側と支援される側という関係が固定化され、対等な関係の構築が阻まれてきたのではないでしょうか。

　また、多文化共生は「外国人と日本人の共生」であるとも言われます。しかし実際の現場はもっと多様で複雑です。日本で生まれ育ち日本語を話す外国籍の人、日本以外の国で生まれ育ち日本語以外の言語を話す日本国籍の人、また複数の国・文化にルーツをもつ人もいます。言語、文化、民族、年代、性別、経験や関心など、一人一人の背景が多様であるからこそ「多文化」なのです。私が出会ったある小学生は、大人は「外国籍児童」と線引きしますが、本人は「私は日本で生まれたから日本人だ」と言います。

　このような多様な人々（＝私たち）が暮らす社会においては、その多様さを想定していなかった従来のしくみから漏れてしまう（特に言語や文化のちがいが障壁となる）人がいます。そこに目を向け、これまでの社会のあり方そのものを見直し、従来のしくみをより包摂的なものへと変化させていく営みこそが、多文化共生です。決して、従来のしくみを維持したまま「外国人」が「日本人」と共生できるように「支援」することではないのです。

　島根県も9,500人を超える外国籍市民（2024年1月1日、島根県集計）が暮らす多文化社会ですが、このような包摂的な社会への萌芽もみられます。県立出雲養護学校では、保護者向けの文書をできるだけ「やさしい日本語」で作成しています。日本語以外の言語を母語とする保護者もいますが、その保護者も含めて、誰にとってもわかりやすい文書をめざす、という取り組みです。

　県立宍道高校では、文化的・言語的に多様な背景をもつ生徒（「CLD生」）のためのクラスや授業が整備され、日本語でなくても自分の母語で学習内容が理解できればそれをきちんと評価する、という試みが行われています。日本語で学習し日本語で評価される従来のしくみだけでは、その生徒の本当の能力が見落とされてしまう可能性があります。この試みの背景にあったのは、「（理解できているのに日本語で説明できず）能力が低いと思われて悔しかった」という、ある生徒の言葉でした。

　「多文化共生」のきっかけの一つが大災害だったことを考えるとき、それはまさに「誰もが安心して生きるため」「すべての人の命が守られるため」に必要なのだと言えます。そしてそうであるなら、一部の地域や機関だけでなく、あらゆる組織、個人に関わることだと言えます。「すべての人」が本当に「すべて」になっているか、現在のしくみから漏れている人はいないか、本当に多様な人たちに開かれている社会か——それを常に問うていくことが多文化共生という営みです。そしてそれは、「多様な私たち」の一人である「私」自身の安心のためでもあるのです。

言語的・文化的に多様な子どもたちの居場所

第6章

フードバンクが担う地域社会における子どもの居場所づくり
―― 学習支援の取り組みから

島根大学人間科学部　佐藤桃子

1．地域における子どもの居場所の拡がり

　近年の地域における子どもの居場所づくり支援というと、こども食堂のムーブメントが代表的なものである[1]。全国こども食堂支援センターむすびえが行った最新のこども食堂全国箇所数調査（2023年度）の結果をみると、こども食堂は2023年12月現在で全国に9,131か所になり、これは全国の公立中学校数（9,296校）と並ぶ数であるという[2]。注目すべきは、こども食堂が増え続けていることである。2023年度は前年度と比べて1,768か所の増加と、これまでで最も大きい増加数であった。調査が始まった2018年に2,286か所であったことをふまえると、コロナ禍を経て子どもの居場所づくりの動きが加速していると捉えることができる。こども食堂の取り組みは島根県内でも広がっている。前述のこども食堂全国箇所数調査では、2022年度は島根県が増加率でトップとなり、25か所から71か所までこども食堂が増え、さらに2023年度は98か所になった[3]。

　「こども食堂は二本足で立っている」というのはむすびえの理事長である湯浅誠の言葉であるが、こども食堂は「地域交流拠点」と「子どもの貧困対策」の二つの側面から捉えられることが多い（湯浅 2019）。こども食堂黎明期に東京都豊島区で豊島子どもWAKUWAKUネットワークを立ち上げた栗林知恵子さんは、「住民の力で育まれた子ども食堂は、まちづくりに欠かせないソフトインフラ（居場所であると同時に、相談、支援機関等のアウトリーチ拠点）として定着し、子どもたちとの直接の

関わりから、妊娠出産・就学援助・学習・進学・就労・家庭環境といった子どものライフステージに応じた諸問題への気付きや関心にもつながる」と述べる（栗林 2016：72）。

　そして現在、こども食堂に限らず、地域でさまざまな子どもたちの居場所をつくる取り組みが広がっている。本章では、子育て世帯を対象に食糧支援などを行うフードバンクしまね「あったか元気便」の取り組み、特に2023年度から始まった学習支援の取り組みをもとに、地域社会のボランタリー団体による子どもたちへの学習支援の意義を考察する。学習支援の取り組みは、フードバンクだけでなく地域の他団体、大学生ボランティアなどとの連携により成り立っている。食糧支援や学習支援という取り組みの表面的な目的だけではなく、これらの活動が持つ地域社会における役割と今後の可能性に注目して事例を紹介したい。

2．地域社会における学習支援の取り組みの意義と課題[4]

　子どもの居場所づくりやこども食堂の取り組みよりももっと時代をさかのぼり、1980年代に東京都江戸川区で始められた生活保護世帯の子どもに対する取り組みが、学習支援の取り組みの先駆けだと言われている[5]。これは制度外で生活保護のケースワーカーがボランタリーに始めた取り組みであったという。その後、自立支援プログラムが導入され、釧路市では2004年度から「生活保護受給母子世帯自立支援モデル事業」が開始し、先進事例として取り上げられるようになった（木戸口 2010）。生活困窮世帯に対する学習支援が生活保護世帯だけに向けたものではなく、より広範にわたって必要だと政策の中に位置付けられたのは、2015年に施行された生活困窮者自立支援法においてであった。生活困窮者自立支援法の中で「学習支援事業」が地方自治体の任意事業として位置付けられたのである（松村 2020、宮下ら 2019など）。

　松村（2020）は、学習支援事業と子どもの居場所づくり事業に関する幅広い先行研究のレビューを通して、学習支援によるアウトカムは主に

以下の９つに分けられると述べている。それらは、①学力、②学習意欲・習慣、③教育機会・学習権の保障、④（社会的な）居場所、⑤他者とのコミュニケーション・つながり、⑥自己肯定感（自己有用感・自尊感情・自信）、⑦ロールモデル、⑧将来の見通し・展望、⑨その他（自他に対する信頼、主体性、生活力、生きる力）である（松村 2020：31）。つまり、①学力の向上や②学習意欲・習慣を身に付けるということだけではなく、居場所やコミュニケーションなど、学習支援を通して得られるものが多くあるということだ。学習支援の効果としてアンケートやインタビューの分析から「自己肯定感」「勉強がわかる感覚」や「頼れる大人に会える」などの概念を抽出し、これを「福祉、または教育だけでは捉えられない」（松村 2020：126）学習支援によるケアの効果である、としている。

　さらに松村（2020）は、子どもの学習支援とこども食堂を比較している。支援の意義として、子どもの学習支援には「学習権の保障、学習機会の提供」、こども食堂には「食事提供や交流など地域住民による生活支援」がそれぞれ挙げられるが、両者に共通するものとして「居場所、他者（ロールモデル）との出会い・交流」が挙げられている。また、期待される効果としても、学習支援とこども食堂に共通して「自己肯定感、対人能力、将来見通し等の向上」があることが指摘されている（松村 2020：126-127）。

　つまり、子どもの学習支援には子どもの居場所づくり支援と重なるものが多い。学習支援というと「学力の向上」や「高校進学率」といった指標で評価されることが多いが、学習支援事業を行う団体が実際に取り組んでいるのはそれだけにとどまらない。各地での学習支援の取り組み事例を検討してみると、高校受験の時期１月〜３月に集中的に学習を行うと同時に、誕生会など子どもたちのための行事や卒業してからの居場所にもなっている釧路市の「Ｚっと（ずっと）スクラム」（木戸口 2010）、フードバンクの特色を生かし、学習支援・食・居場所という一連の支援

を提供しているフードバンク山梨の「えんぴつひろば」（小島 2020）、週に４日の学習支援だけではなく夕食提供や子どもの進路相談などの相談支援機能、諸機関との調整機能ももつ千葉県の「学び舎・ゆーすぽーと」（宮下ら 2019）など、子どもたちの居場所や相談先となるようなさまざまな取り組みが見られる。松村（2020）の言う「学習支援によるケア」という概念からも分かるように、学習支援という取り組みを通して、子どもたちのウェルビーイングを向上させることが目指されているのである。

　学習支援事業のもつ課題もある。たとえば学習支援というのが学校の勉強や、就職活動に遅れないことのみを目的として行われているものだったらどうなるだろう。桜井（2019）は、アメリカ・ウィスコンシン州で行われているラーンフェア・プログラムを「教育を用いて個人を矯正・再訓練するものである」と批判的に検討しつつ、「なにより重要なのは、包摂や変容を個人や世帯だけに押し付けずに、社会の変容可能性を問うことである。」（桜井 2019：78）と指摘する。つまり、既存の学校・教育システムを疑わずに学習支援を施すだけでは、常に適応できない個人の方が問題であるとみなされてしまう。「むしろ、貧困者を排除している学校的なもの、それを支える価値観にメスを入れなければならない」（桜井 2019：78）として、社会を変える必要性が指摘される。また、生活困窮世帯を選別して対象とする学習支援活動は、スティグマを生み、子どもの間に分断を生む可能性がある。西牧（2019）も学習支援の限界として、「『不十分』なゆえに、新たな排除を生む、つまり対象者でありながら学習支援利用に到らない子どもたちが、高校の入試という競争において最も不利になる、という構造」に言及し、「根本的に解決するにはどうしたらいいのか」を問うている（西牧 2019：258）。必要に迫られた学習支援を行うからこそ、本当に必要とされている構造上の問題を是正することを忘れてはならないという指摘であろう。

　ここからは、子育て世帯を対象に食糧支援や地域の居場所づくり支援

を行う「あったか元気便」が学習支援を担うことの意義、学習支援を担う団体が地域で果たす役割を、2023年度から始まった新しい取り組みをヒントに考えてみたい。学力向上のみに焦点をあてるのが学習支援ではないこと、地域の学習支援に求められていることが何なのかを、本章を通じて考察する。

3．フードバンクしまねの学習支援の取り組み

3−1　困窮世帯支援とフードバンクしまね「あったか元気便」

　フードバンクとは、「食品ロスの廃棄による無駄をなくし、資源の有効活用を目的とする経済・環境的理念」と「全ての人に食べ物を供給したいという社会福祉的な理念」の2つの目的を持つ活動とされている（角崎 2018）。日本ではこれまで、フードロスへの運動というイメージが強く、フードバンクが生活困窮者支援に果たす役割についての研究は少なかったが（佐藤 2018）、2019年に施行された食品ロス削減推進法の中で、国の基本的施策としてフードバンク支援を行うことが明記され、取り組みは全国で広がっている。

　生活困窮者支援として始まったフードバンクのうち有名なものには、2008年に山梨で米山けい子さんが始めたフードバンク山梨がある（米山 2018）。フードバンク山梨は、学校の長期休暇期間に準要保護世帯を対象とした「フードバンク子ども支援プロジェクト」を2015年に始めた。この取り組みが全国に拡がり、子どもの貧困問題とフードバンクの支援がつながるきっかけとなったのである。そして、先述のとおりフードバンク山梨でも、2017年より無償の学習支援事業「えんぴつひろば」が行われている（小島2020）。本章で取り上げる「あったか元気便」も、フードバンク山梨の活動をモデルにしている。

　フードバンクしまね「あったか元気便」は、2018年6月に島根県松江市で準備会を発足し、1年の試行期間を経て、2019年より本格的に活動を開始した。学校給食がなくなる長期休暇期間中、対象小中学校に通う準

要保護世帯（就学援助制度を利用している世帯）のうち申し込みのあった世帯に宅配便で食糧を届けている。2018年夏休みに対象小学校1校、28世帯から始まった活動は、2023年度には小中学校20校、500世帯超にまで対象を拡大している（フードバンクしまねの詳しい経緯はコラム8を参照）。

あったか元気便は、「地域のつながりづくり」を目標に掲げ、さまざまな顔の見えるつながりを構築しているところに特徴がある。フードバンクとして食糧支援をするだけではなく、子育て世帯の孤独や孤立を防ぎつながりを作ること、相談できる関係構築を地域の中で実現することを目指し、子どもの権利を中心においた実践を目標としてきた[6]。その延長として、今回のような学習支援や、子どもたちにさまざまな体験（田植え・マリンスポーツなど）を提供する活動も行っている。

3−2　学習支援発足の経緯−フードバンク利用世帯のニーズ分析

2022年、あったか元気便と島根大学が協働し、利用世帯を対象としたアンケート調査を行った。このアンケートは、あったか元気便の利用世帯がどのような困りごとを抱え、現在どのような支援が必要とされているかを明らかにするために実施された。質問項目は世帯の生活状況、就労状況、子どもの生活や困りごと、必要とされている支援などで、アンケートは対象の利用世帯277世帯のうち193件の回答があった（回収率69.7%）。

このアンケートの結果から、利用世帯が特に必要としている支援を分析してみると、「学習支援」「塾」のニーズが多く出てくることが分かった。このアンケート調査にはもともと、あったか元気便の事業として準備を進める母親のレスパイトケアや、こども食堂の拡充などについて、利用世帯のニーズを探って役立てようというねらいがあった。調査票に「あなたが現在必要としている支援、あったら参加してみたい活動はどのようなものですか」という設問を設けたところ、自由記述欄に書かれた

回答で特に多かったのが、「学習支援」や「塾」という回答だった。特に、中学生以上の子どもたちのいる世帯で学習支援のニーズが高いことが示された（佐藤ほか 2022）。

これまでフードバンクでは、小学生を対象とする学習支援（寺子屋）を企画し、夏休みや冬休みの宿題を応援する取り組みを実施していたが、アンケートの結果より、中学生の受験を見据えた支援に需要があることが明らかになった。しかし、高校受験対策となると、学生や地域のボランティア以上に勉強を本格的に教えられる人材が必要になる。

そこで、あったか元気便と松江市内で子どもの居場所づくりに取り組む特定非営利活動法人スペース（理事長：柳澤優大氏）が協働し、中学３年生を対象とした「塾」として学習支援を行うことが決定したのである。スペースは、2020年に設立された、不登校の子どもたちのためのフリースクールを開き、子どもたちの学習支援や体験活動を行う団体である。もともとスペースが行っていた中学３年生対象の受験対策学習支援「フリゼミ！」の活動に、フードバンクが参画することで定員を増やし、大学の研究チームとの連携[7]によって学習支援の会場を大学の教室に設定した。大学が会場となることで大学生ボランティアが集まりやすく、また、子どもたちに大学という場所のイメージを持ってもらうことも大きなねらいであった。

3-3　中学３年生を対象にした「応援塾（フリゼミ）」の取り組み

あったか元気便とスペースが共同で開催する学習支援活動は「応援塾（フリゼミ）」と名前をつけ、主にあったか元気便の利用のある学校における中学３年生で、就学援助制度を利用する世帯を対象とした。2023年の10月から2024年２月まで、毎月１回ずつ計５回の日曜日に、高校受験対策として行う。会場は島根大学の講義室を使用し、昼食会場には大学生協の食堂を提供してもらっている。

本稿で紹介する段階では、応援塾はまだ始まったばかりで試行錯誤を

重ねているところだが、子どもの居場所の取り組みとして明らかになりつつあることもいくつかある。ここでは、具体的な方法や取り組みのねらいについて紹介したい。2023年12月時点までの、応援塾の参加者数の記録と、1日の流れを以下の表に示した。

表1　応援塾参加者数（人）

参加者	10月	11月	12月
子ども	21	23	22
学生ボランティア	14	15	18
塾講師（スペース）	3	3	4
フードバンクスタッフ	4	4	4

表2　応援塾の1日の流れ

準備・受付	9:30〜	
1時間目	10:00〜10:50	個別指導
2時間目	11:00〜11:50	個別指導
昼休憩	11:50〜13:10	※大学食堂でお弁当
3時間目	13:10〜14:00	個別指導
4時間目	14:10〜15:00	個別指導
片付け	15:00〜	※スタッフ振り返り

　応援塾に参加する子どもたちは、9月末を〆切に30人定員で募集を行い、基本的に10月から2月まで継続して利用する。26人の応募があり、毎回数名の欠席はあるが平均して22名が出席している。学習支援の担い手は、大学生ボランティアが中心になる。会場となる島根大学の学生からボランティアを募り、教育学部と人間科学部（心理学コース、福祉社会コース）を中心に、総合理工学部・法文学部の学生が参加している。学生は1回生から4回生まで多様な背景や動機で参加している。また、通常活動の中で学習支援を行っている特定非営利活動法人スペースから、理事長はじめ講師陣が参加し、子どものニーズに合わせて授業をしたり、教材の準備を行う。運営や食事の準備、雑務などはフードバンクのボラ

ンティアスタッフが担う。

　応援塾の学習支援は、1対1もしくは1対2の個別指導で行っている。1～4時間目のコマごとに、子ども一人ひとりが事前に苦手な科目や勉強したい科目の希望を出し、それに合わせて一人ずつ学生ボランティアや講師を配置する。都度に子どものニーズに合わせて勉強内容を決定するので、学生ボランティアと相談しながら授業を進めていくことができる。

　最初は中学3年生の勉強を教えられるか不安に思っていた学生たちだが、スペースの講師陣の授業を見たり、教材を教えてもらったりする中で、徐々に自信がついていった。2回、3回と回を重ねるごとに、参加する子どもたちも慣れてきて、だんだん表情が柔らかくなっていくことも感じられた。ボランティアスタッフの振り返りでは、「子どもたちとの接し方をどうしたらいいか」「問題が分からない時のサインにどう気づいたらいいか」「こういう時はどういう声かけをしたらいいか」など、学生が戸惑った経験、疑問に思ったことなどをシェアする。学生ボランティア同士で感じたことを開示し、お互いに意見を述べ合うことで、それぞれ自分の対応を振り返ったり、次の機会に生かすことができている。また、教育学部の学生は勉強の教え方について、人間科学部の学生は子どもの細かな様子についてなど、疑問に思う点が学生の専門によって全く異なっていることも分かった。

4．学習支援の取り組みを通しての気づき

4-1　教育と福祉の融合

　応援塾の学習支援の取り組みで最も特徴的なのは、あったか元気便が単独で行うのではなく、「教育」部分を専門的に担う特定非営利活動法人スペースとの協働で行っていることである。さらに、学生ボランティアスタッフも「教育」に携わる教育学部の学生だけではなく、福祉や心理を専攻する学生や理系の学生もいる。「学習支援によるケア」という

概念を提唱する松村（2020）によると、学習支援は「いわば、福祉と教育が結合したものであり、両者を包含する、より広く奥行きのある研究フィールドを切り拓くものである」（松村 2020：126）。特に政策面において教育と福祉は別々に行われているという印象が強いが、学習支援の取り組みにおいては協働・連携が必要となる。民間団体が行う実践における教育と福祉の融合が一般的になると、子どもを「面として」支えることができるようになる。

　また応援塾は、学力向上だけを目的としない、居場所としての学習支援を心がけている。先行研究の検討の中でも示されたように、学習支援はその効果指標として学力・高校進学実績が使用されがちだが、学習支援の意義はそうして矮小化されるべきではない。ボランティアと一緒に食事をとること、マンツーマンでコミュニケーションを図ることなどを通して、居場所としての取り組みを意識している。また、学習支援により生まれる多様な効果のうちひとつが、学生ボランティアによる気づきである。学習支援に参加する学生ボランティアは、毎回子どもたちとの距離の取り方や支援の方法を考える中で、活動の主体になっていき、学習支援の活動は学生の学びの場ともなっている。これはたとえば集団指導の塾ではなく「地域の学習支援」だからこそ担うことができるものであり、学習面にとどまらず、多様な効果を生むものではないだろうか。

4−2　地域を変える支援にしていくために

　学習支援の課題として、「個人を変えるアプローチ」に終始してしまう可能性があることが指摘されていた。学習支援とは個人に焦点化するのではなく「社会を変えるアプローチ」でなければいけないこと（桜井2019、松岡2017）、そして「一人ひとりを大切にする個別の支援が、しばしば包摂の名を借りた排除に転ずる危険性について、私たちは自覚的であるべき」（桜井 2019：78）であることが課題として挙げられている。このことについて、フードバンクという民間の組織が団体の垣根を超え

て活動すること、学校や既存のシステムとの連携を図ることが、「社会を変えるアプローチ」へとつながるのではないか。同時に、政策に働きかけていくことも重要になる。フードバンク山梨の学習支援事業の場合は、初年度は民間の助成金で賄っていたが、翌年の2018年度以降は生活困窮者自立支援法に基づく事業として、市からの委託を受けて開催しているという。「個人ではなく社会に変容を求める」というアプローチで、行政に学習支援についてさまざまな提言していくことも大切であろう。

　本章では、フードバンクしまね「あったか元気便」が始めた学習支援の取り組みをもとに、民間のボランタリー団体による学習支援の意義を考察してきた。学習支援事業は多様な団体、大学生ボランティアなどとの連携により成り立っている。学習支援の取り組みは、学力の向上といった表面的な評価軸だけではなく、学生も子どもたちもいろいろな体験をして、多様な人に出会う場所になるような支援が求められていることが分かった。中学生にとって居心地の良い居場所になるよう今後も議論を重ねるとともに、政策提言として学習支援の拡充、教育システム自体の在り方を問うていきたい。

【注】

1）「こども食堂」「子ども食堂」等、表記はさまざまあるが、本稿ではNPO法人むすびえの「こども食堂」の表記に揃える。引用文中にあるものは元の表記に従っている。

2）認定NPO法人全国こども食堂支援センターむすびえプレスリリースより。https://musubie.org/news/7995/（2024年1月9日閲覧）。

3）認定NPO法人全国こども食堂支援センターむすびえプレスリリース「資料2：都道府県別箇所数・充足率等一覧」より。https://musubie.org/news/7995/（2024年1月9日閲覧）。

4）本稿における学習支援の先行事例の検討については、島根大学人間科学部福祉社会コースの佐藤ゼミの学生（内田瑞希さん、亀山夕夏さん、河原陸

士さん、田淵真伊さん、六車涼人さん、山本莉子さん）とのゼミでの議論を
もとにしている。また実践から気づいたことに関しては、あったか元気便の
スタッフ、スペースの柳澤さん、学生ボランティアとの振り返りに拠ってい
る。応援塾の運営に関わる人全員に、この場を借りてお礼を申し上げたい。

5）宮下ほか2019、松村2020、木戸口2010などを参照。

6）フードバンクしまね「あったか元気便」あり方検討会報告書より。あり方
検討会は、組織や活動のあり方について組織外の意見を取り入れ議論を深め
る目的で設置され、2020年9月から2021年3月の半年間で6回の検討会が開
催された。筆者はこの検討会のメンバーである。

7）島根大学「持続可能な地域社会構築のための地域政策に関する研究プロ
ジェクト」（研究代表：藤本晴久）

【参考文献・URL】

角崎洋平，2018，「第2章　社会保障システムにおけるフードバンクの意義と
役割」佐藤順子編『フードバンク：世界と日本の困窮者支援と食品ロス問
題』明石書店

木戸口正宏，2010，「自他に対する「信頼」の回復を軸に据えた「学習支援」
の取り組み―釧路市「高校進学希望者学習支援プログラム」の取り組みを
手がかりに―」『釧路論集　北海道大学釧路校研究紀要』42，pp.61-69.

小島令嗣，2020，「フードバンクによる生活困窮世帯児への学習支援活動」
『チャイルドヘルス』23（11），pp.67-71.

松村智史，2020，『子どもの貧困対策としての学習支援によるケアとレジリエ
ンス―理論・政策・実証分析から―』明石書店

松岡是伸，2017，「名寄市における子どもの学習支援・子ども食堂・子どもの
居場所づくりの実践―地域における各機関・団体の連携とスティグマの払
拭を願って―」『名寄市立大学コミュニティケア教育研究センター年報』35
号，pp.109-124.

宮下裕一、藤田実、太齋寛，2019，「生活困窮世帯の子どもと家族を支える包
括的な支援のあり方に関する考察」『島根県立大学松江キャンパス研究紀要』
第58号，pp.89-95.

村山伸子・米山けい子，2017，「フードバンクによる子どもがいる生活困窮世
帯への夏休み期間の食料支援プロジェクト」『日本健康教育学会誌』25（1），
pp.21-38.

室田信一・石神圭子編, 2023, 『コミュニティ・オーガナイジングの理論と実践——領域横断的に読み解く』有斐閣.

内閣府男女共同参画局, 2021, 『コロナ下の女性への影響と課題に関する研究会報告書』https://www.gender.go.jp/kaigi/kento/covid-19/index.html

西牧たかね, 2019, 「学習支援は何を変えるのか—その限界と可能性」佐々木宏・鳥山まどか編著『シリーズ子どもの貧困3　教える・学ぶ』明石書店, pp.245-270

栗林知絵子, 2016, 「地域が変われば、子どもの未来が変わる！」豊島子どもWAKUWAKUネットワーク編著『子ども食堂をつくろう！』明石書店, pp.64-73.

桜井啓太, 2019, 「生活保護世帯の子どもへの教育支援」佐々木宏・鳥山まどか編著『シリーズ子どもの貧困3　教える・学ぶ』明石書店, pp.59-84.

佐藤順子編, 2018, 『フードバンク：世界と日本の困窮者支援と食品ロス問題』明石書店

佐藤桃子, 瀬戸和希, 黒岩大史, 加川充浩, 和氣玲, 足立孝子, 関耕平, 藤本晴久, 宮本恭子, 2022, 「島根県の子育て世帯に必要な支援についての考察—フードバンク利用世帯へのアンケート調査より—」『山陰研究』第15巻, 島根大学法文学部山陰研究センター, pp.37-58.

米山けい子, 2018, 『からっぽの冷蔵庫 見えない日本の子どもの貧困』東京図書出版.

湯浅誠, 2019, 「こども食堂の過去・現在・未来」『地域福祉研究』No.47, pp.15-27.

COLUMN 08　「食品提供」から「くらしと子育ての応援」に

フードバンクしまね　大木理之

○小さなはじまり

　JA、生協、市社協などが集まり「地域ケア連携推進フォーラム」の場で地域や協同の課題などについて学習・交流を重ねるなか、2017年に「子どもの貧困」をテーマに、フードバンク山梨の先駆的な取り組みを学ぶ機会を得たわたしたちは、その足で早速、山梨県南アルプス市を訪問した。翌18年、松江市内の古志原小学校区で「試行的」にフードバンクの取り組みをはじめた。食品をどう集めるのか？　対象や仕組みは？　など、なかなか結論にたどり着かない会議を重ねた末に課題を山積みにしたまま、同年7月、28世帯分の食品を載せた「あったか元気便1号車」が兎にも角にも出発した。

○「点から面」へ「面からまちづくり」へ

　翌年には「フードバンクしまねあったか元気便」が正式に発足し、松江市内の小・中学校に通う就学援助利用世帯の子どもたちと家族に、給食のない夏休みなどの年4回を基本に食品を提供し「安心」と「元気」を届け「孤立」を防ぐことをはじめ、取り組みを通じて「『困ったとき』は、おたがいさまのまちづくり」、「地域の子どもたちは、地域のみんなで育てるまちづくり」をめざすこととなった。

　2023年、6年目をむかえた取り組みは、松江市内の小・中学校20校に広がった。冬休みには、520世帯余り、家族数にして1,900人余りの利用者に約8トンの食品を届けることができた。スタート時点とくらべると、どの数字も20倍から30倍に広がった。それは、何よりも取り組みを「支える輪づくり」が広がったお陰だった。「点」からはじまった取り組みは、幅広い市民参加で「面」への広がりとなり、まちづくりへと広がりつつあると感じている。

○「学習と体験の『場』」と「時間とおしゃべりの場」を

　島根大学「子ども・若者の孤立・貧困問題への文理融合アプローチ」研究チームの「フードバンク利用者アンケート調査結果」は、わたしたちのこれまでの取り組みを「食品提供」から「くらしと子育て応援」へ踏み込んだ取り組みへとウィングを広げることを示すものとなった。アンケート結果から

は、2つの大きなテーマが浮かび上がってきたように思う。1つは、子ども
たちに「学習と体験の『場』」を提供すること。そこで小学生を対象にした
夏休み野外体験企画として、カヌーとバーベキュー企画を開催。先方からの
申し出で、通信制高校のサクラ高等学院の生徒たちが企画運営を担ってくれ
た。前年に同校の生徒たちが取り組んでくれた「クリスマス会」の企画の成
功は、何よりも高校生たちの達成感や自己肯定感を醸成する場になり、こう
した企画につながったこともうれしい成果だった。

　そして、さらに「中学3年生の進路・進学『応援塾』(フリゼミ)」。これにも、
大きな援軍があった。この取り組みは、NPOスペース、島根大学研究チーム、
フードバンクしまねあったか元気便の「協働」によって実現した。

　2つ目のテーマは、「ひとり親」、とりわけ母子家庭のおかあさんに「子ど
もたちとゆっくり過ごせる時間」、「おかあさんだけの自由な時間」を提供す
るということ。言い換えれば「時間の貧困」対策として開始した。

　そのための「おかあさんのためのレスパイト応援事業」に今後は力を入れ
たい。ここでは有償たすけあいシステムおたがいさままつえとの「協働」が
実現した。有償のため利用料金の1時間1,000円は、利用者にとって負担が
大きい。このため、地域つながりセンターがあらたに「子どもの笑顔応援基
金」を創設し仕組みを整えてくれた。利用実態は、制度の狭間に埋もれつつ
あった、おかあさんたちからのSOSに応えた内容が多くを占めた。もっと気
楽に、おかあさんが自分だけの映画鑑賞などにも使ってもらえるようになれ
ばうれしい。

○くらしのなかに無数の「小さな協働」を積み重ねながら

　これらの取り組みを通じて感じたことのひとつは、私たちフードバンクの
役割のひとつは「協働」の「プラットホーム」や「ハブ」の「場づくり」で
もあると思った点だ。小さな力しかない私たちのような団体は、何をするに
も地域を頼りにするしかない。求められるテーマごとに無数の「小さな協働」
を地域のなかで積み重ねながらニーズに応えていくことが大切という教訓を
もつことができた。何よりも素直に地域に問いかけることだ。「ひとりでや
らない、みんなでやるからまちづくり」だ。

フードバンクしまね　あったか元気便年次推移
～「ひろがり」から「つながり」へ　「つながり」から「支え合い」へ～

		2018年度	2019年度	2020年度	2021年度	2022年度
利用者	のべ利用世帯数	84	392	761	1,405	1,737
	のべ家族数(人)	291	1,400	2,626	4,940	6,157
	食品提供総量(㌧)	1.01	5.5	8.36	15.7	26.5
フードドライブ	お米総量(㌧)	0.52	3.6	5.6	10.5	18.9
(食品の持ち寄り)	他の食品総量(㌧)	0.09	0.7	3.2	6.6	8.8
	FD取り組み団体・企業等	2	4	28	69	89
応援者	のべボランティア等(人)	69	273	439	866	1,085
	応援回数(回／年)	3	4	6	6	5
	募金額(万円)	38	149	210	324	470
	実施校	1校	3校	6校	11校	17校

＊FDは、フードドライブ.数字は、取り扱い窓口の団体・企業のみ記載。

２２年度数値は、26.5トンに島根大学、県立大学（松江キャンパス）の２トン提供含む。

対象校：一中・三中・四中・湖北中・八雲中・湖東中＝　6校

古志原小・津田小・中央小・城北小・法吉小・雑賀小・忌部小・乃木小・持田小・大野小・生馬小・意東小・竹矢小・大庭小.14校

**フードバンクのパッキングに親子で参加してくれた
ボランティアさん**

第 3 部

地域の経済・生業と "しごとづくり"

「しまねおしごとマルシェ」の会場風景
島根県中小企業家同友会が主催する「地元企業やしごとの魅力」
を伝えるための合同展示会。実演販売や体験ブースもあり、子ど
もから大人まで楽しんだ。

第7章

持続可能な島根県経済をつくるために

島根大学法文学部　藤　本　晴　久

1．はじめに

　地域とは人間の生活の場（生活領域）であり、その基盤となるのが地域経済である。持続可能な地域社会を構築するためには、住民生活の支えとなる地域の経済を発展させていく必要がある。しかし、経済的富や人口が都市圏に集中する国土構造は是正されておらず、島根県や他の地方圏の経済も停滞している。今後、どのように「地域経済の好循環」を生み出し、人口減少社会への対応や生活基盤の再構築を図っていくのか。将来のビジョンや具体的方策を地域全体で考え、実行していくことが求められている。本章では、近年の島根県の経済状況を分析し、島根県が抱える課題や今後の政策に求められる視点について述べていく。

2．島根県の経済はどうなっているのか？

2−1　日本の地域間格差構造と島根県の位置

　周知のように、島根県や鳥取県の人口は2000年以降、毎年平均して約4,000～5,000人減少しており、その傾向は20年以上も続いている。この間、人口の自然減と社会減が同時に進行しており、人口減少のスピードが加速している。社人研の推計では、2050年には、島根県人口は2020年比で26.0％減（49万6,994人）、鳥取県人口は26.7％減（40万5,528人）となる見通しである。こうした変化に地域社会が対応するためには、まず、「住民を扶養する力（人口扶養力）」の基礎となる地域経済（雇用、所得、

企業や景気等）の安定と成長が求められる。そして、地域経済の安定と成長を図るには、東京一極集中の国土構造の是正と地元経済の改革という2つの角度から接近することが必要だろう。

　図表1は、3大都府県（東京都、大阪府、愛知県）と中国地方4県（広島県、岡山県、島根県、鳥取県）の地域間格差を示している。これは、日本全体の人口、雇用者報酬（労働者が受け取った給与や報酬）、県内総生産、法人所得などを100として換算した場合、各都府県がどのくらいの割合を占めているのかを表している。東京都、大阪府等は人口に比べて、雇用者報酬、県内総生産、法人所得が高くなっている[1]。特に東京都は人口割合（約11％）に対して、雇用者報酬14.3％、県内総生産19.8％、法人所得50.7％を占めている。大阪府や愛知県と比べても経済力は抜きんでており、法人所得は日本の半分を超えている。この経済的富の集中が東京都の経済活動の源泉になり、経済活動の拡大が人口流入を引き起こしている。

　他方で、中国地方各県は、人口比に対して雇用者報酬、県内総生産や法人所得の割合は小さくなる傾向にある。島根県と鳥取県の人口は合計

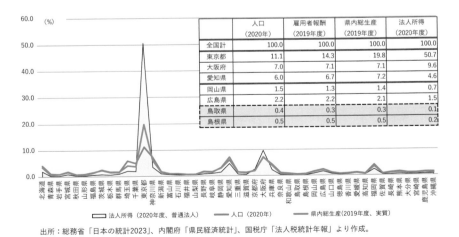

	人口 （2020年）	雇用者報酬 （2019年度）	県内総生産 （2019年度）	法人所得 （2020年度）
全国計	100.0	100.0	100.0	100.0
東京都	11.1	14.3	19.8	50.7
大阪府	7.0	7.1	7.1	9.6
愛知県	6.0	6.7	7.2	4.6
岡山県	1.5	1.3	1.4	0.7
広島県	2.2	2.2	2.1	1.5
鳥取県	0.4	0.3	0.3	0.1
島根県	0.5	0.5	0.5	0.2

出所：総務省「日本の統計2023」、内閣府「県民経済統計」、国税庁「法人税統計年報」より作成。

図表1　3大都府県と中国地方各県の地域間格差

約120万、総人口の0.9％（島根県0.5％、鳥取県0.4％）だが、県内総生産では0.8％（島根県0.5％、鳥取県0.3％）、法人所得では0.3％（島根県0.2％、鳥取県0.1％）にすぎない。中国地方最大の広島県ですら、3大都府県との経済力格差が拡大している。また、中国地方の各県間でも地域間格差が存在しており、中国地方内部での人の社会移動とも連動している。このように、都市圏と地方圏での格差、地方圏内部での格差が存在しているため、地元の経済対策はもちろんのこと、日本の全体構造の是正も視野に入れて働きかけていく必要がある。

2-2　伸び悩む島根県経済と産業別の動向

次に、近年の島根県経済の全体状況と産業別動向を、県内総生産と就業者の動向を示した図表2で確認してみよう。2011～2020年の間、国内総生産の伸び率は8.4％であり、島根県内総生産の伸び率は5.8％だった。また、島根県の就業者数（2020年時点）は373,302人で、2011年（382,270

図表2　島根県内総生産や就業者数の動向（産業別）

		2011年	2020年	2020年構成比（％）	2011-20年増減率（％）
第1次産業	生産	448	418	1.6	▲ 6.8
	就業者数	31,798	24,121	6.5	▲ 24.1
第2次産業	生産	5,576	6,601	25.7	18.4
	就業者数	87,936	83,446	22.4	▲ 5.1
第3次産業	生産	18,082	18,628	72.6	3.0
	就業者数	262,536	265,735	71.2	1.2
県内総生産（名目、億円）		24,252	25,647	—	5.8
県就業者数		382,270	373,302	—	▲ 2.3
（参考）国内総生産（名目、兆）		494.8	536.3	—	8.4
第1次産業		5.4	5.5	1.0	2.3
第2次産業		121.1	139	25.9	14.8
第3次産業		368.3	391.8	73.1	6.4

注：第1次産業：農林水産業、第2次産業：鉱業、製造業、建設業、第3次産業：第1次及び第2次産業以外の産業。
出所：内閣府「2021年度国民経済計算」、島根県統計データベース「令和2年度　島根県県民経済計算」より作成。

人）より2.3％ほど減少している。生産と雇用の面からみると、島根県経済はそれほど拡大しておらず、伸び悩んでいる。この状況は、新型コロナウィルス感染症（COVID-19）前後でも変わっていない。

　産業別の動向では、第1次産業（農林水産業）の伸び率は－6.8％となっており、就業者数は24.1％も減少している。全国動向と比較しても、島根県の農業や水産業の落ち込みは深刻な状態となっている。第2次産業（鉱業、製造業、建設業）では、国内総生産の伸び率（14.8％）に比べて、島根県の伸び率は18.4％と高くなっている。就業者数に関しては5.1％減少しているが、特に建設業の就業者数が減っている影響が大きい。

　第3次産業（卸売・小売業、金融・不動産業、サービス業やその他業種等）の伸びは、県内総生産で3.0％増であり、全国の水準（6.4％増）を下回っている。また、就業者数も1.2％増にとどまっている。図表2では示していないが、業種別の動向をみると、構成比の大きい業種では、小売業の拡大がみられる一方で、保健衛生・社会事業、不動産業の経済活動は弱くなっている。もちろん、コロナ禍の影響もあるが、コロナ禍前もそれほど良い活動状況ではなかった。さらに、情報通信業は堅調な伸びをみせているが、観光振興と関連する宿泊・飲食サービスなどの活動は縮小している。宿泊・飲食サービスについても、コロナ禍前から経済活動はあまり拡大していない。

　よく知られているように、第3次産業は島根県の県内総生産及び雇用の7割以上を占めており、島根県経済の最も大きな構成部門である。そのため、その動静が島根県経済全体に大きな影響を与えるようになっている。私たちが日々の生活必需品や生活サービス（小売・金融・飲食・娯楽・医療・福祉等）を安定的に入手するためには、地域の第3次産業の成長が不可欠である。近年、島根県や鳥取県でも、個人経営の事業所数の減少、スーパーや小売店の閉店・統廃合などの問題が頻出している。住民の暮らしに様々な形で浸透している第3次産業をいかに活性化させていくか、経済政策だけでなく地域政策としても重要な論点として検討

してく必要があるだろう。

２−３　製造業の拡大と企業誘致型経済成長モデル

　島根県経済の伸び悩みの中、第２次産業だけは伸長しており、これを牽引しているのが、製造業である。しかし、製造業内の業種が一様に成長しているわけではない。図表３をみると、製造業全体の伸び率（平均）は18.4％だが、業種ごとに大きな違いがある。生産拡大が進む業種は、情報・通信機器（97.1％）、電気機械（84.3％）、電子部品・デバイス（78.6％）、鉱業（42.9％）等であり、次いで、金属製品や１次金属である。他方で、化学（−34.3％）、パルプ・紙・紙加工品（−15.6％）、石油・石炭製品（−14.6％）、印刷業（−8.7％）などは大きく縮小しており、建設業、食料品、繊維製品等はそれほど伸びていない。

　また、電子部品・デバイス、電気機械、情報・通信機器などの生産拡大は、地域的には、出雲市、大田市、雲南市などに集中しており、この３市（2020年）で県内生産の半分以上（51.8％）を占めるようになって

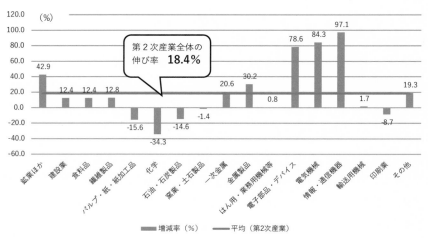

注：図表２に同じ。
出所：図表２に同じ。

図表３　島根県第2次産業・経済活動別生産の増減率（2011-20年）

いる。これは、出雲村田製作所（積層セラミックコンデンサ製造）、島根富士通（パソコン製造）や島根島津（医療機器製造）などの工場（約40社）が立地しているためである。特に、積層セラミックコンデンサを生産する出雲村田製作所は、高速通信規格「5G」や人工知能「AI」などの需要増を見込み、生産規模を今後拡大する予定であり、地域の雇用・人口動態にも更なる影響を与えるだろう[2]。したがって、島根県経済の持続性を考える際には、こうした経済成長モデルの特質を理解しておかなければならない。

　グローバル時代では、国内外の経済動向や自然災害、気候変動や紛争などの要因となって、地域経済が撹乱されやすくなっている。「早くて大きな」成長よりも、ショック時に大きな落ち込みがない「回復力、適応力、耐久力」（レジリエンス）のある地域経済を構築することが重視されるようになっている[3]。グローバル市場を主戦場とする大企業は、時々の情勢に応じて、自身のサプライチェーン（供給網）を世界的規模で再編する。米中貿易摩擦、COVID-19、ウクライナ情勢や資源価格高騰などの事例にみられるように、事業計画に変更があれば、生産調整、統廃合や撤退が起こるのは当たり前となっている。大手企業誘致型の経済成長モデルの特質とリスクを見極め、今後の地域政策を検討していくことが大切である。

2-4　県内市町村間の経済的不均等の拡大

　県内の市町村経済に目を向けると、徐々に市町村間の経済的不均等が拡大しているのも、近年の島根県経済の特徴である。図表4は、島根県内市町村別の企業所得、賃金、就業者数の増減率（2010～2020年）を示している。企業所得は地域の「稼ぐ力」、賃金は地域住民の「所得」、就業者数は地域の「雇用」を表す指標であり、これらのバランスの良い成長が「地域経済の好循環」に繋がると考えられる。現在、3つの指標が増加している県下の市町村は、出雲市と知夫村だけである。町村部の市

町村は軒並み数値が悪化している。

　前述したように、出雲市は拡大が続く製造業の生産拠点であり、企業所得の伸びが圧倒的に大きく、それに連動して賃金や就業者数が増えている。知夫村は人口規模や経済規模がいちばん小さいにもかかわらず、各指標が伸びており、比較的バランスの良い成長にみえる。知夫村経済の主産業のひとつは畜産（肉用牛・繁殖経営）だが、島の大部分を占める町営放牧場（公共牧野）での飼育が本土と比べて低コストの畜産経営を可能にしている。「島まるごと放牧地」をフル活用した知夫村の経済は、地域資源活用型経済モデルとも表現することができ、出雲市型の経済モデルとは異なっている。知夫村の畜産業は移住者を引き寄せる一因にもなっており、水産業の縮小や高齢化等の課題は多いものの、ほぼ全域が中山間地域である島根県の経済成長を考える上では、参考になる事例と言えるだろう。

　町村部については、特に企業所得の落ち込みが大きくなっている。企

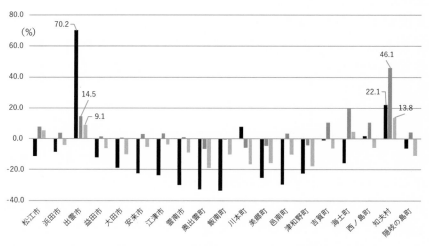

注：2010年は市町村合併前の東出雲町（2011年松江市と合併）及び斐川町（2011年出雲市と合併）を含む。
出所：島根県統計データベース「令和２年度　島根県県民経済計算」、国勢調査（2010年、2020年）。

図表４　企業所得・賃金・就業者数の増減率（市町村別）

業所得の伸び率は、市部全体で3.5％上昇しているのに対して、奥出雲町や飯南町などの農村部全体では19.4％も減少している。市部内でも企業所得が一律に増えているわけではないが、市部と町村部の経済的不均等は拡大している。町村部は第1次産業割合が高く、第1次産業が基盤産業の一つであるため、第1次産業の生産縮小が、地域経済にダメージを与えていると考えられる。

3．島根県経済活性化へのアプローチ

3−1　中小企業と労働者の成長による「地域経済の好循環」

　持続可能な島根県経済を構築するためには、地域経済の主役（主体）である中小企業と労働者がともに成長していく経済をつくることが不可欠である。島根県内の全企業の99.9％（19,550／19,572者）は中小企業であり、中小企業で働く従業者数は91.3％（157,571／172,607人）、小規模企業に限っても、企業数の86.2％（16,866／19,572者）、従業者数の33.4％（57,675／172,607人）を占めている[4]。また、中小企業の取引は大企業とは異なり、同一県内、近隣市町村、同一町村等の割合が高いという特質があるため[5]、中小企業の事業活動が活発化すれば、島根県内の投資、生産、取引、消費などのあらゆる経済活動に影響を与えることになる。実際、県内で生み出される付加価値の8割程度は中小企業が生み出している。

　さらに、中小企業の労働分配率（企業が生み出した付加価値のうち、労働者に分配される率）は8割を超えるため（大企業は6割以下）[6]、中小企業が成長すれば、労働者の所得増が見込めるだけでなく、域内消費の拡大につなげることが可能となる。前節（2−2）でみたように、島根県の第3次産業は近年伸び悩んでおり、第3次産業の活発化のためにも、県民所得の向上と消費の拡大が必要となる。

　そして何よりも、島根県の中小企業の本社は県内にあり、利益の大部分が県外へ「漏れる（経済的漏出）」ことはない。同一地域や近隣地域と

の取引が多いという中小企業の特性を考えれば、収益が域外に流出することなく、再投資や分配を通して、域内の経済循環を促進させることができる。グローバル経済下では、地域に進出した外部資本（本社が別の地域にある場合）の利益が域外に流出し、地域内で還流しにくくなっており、これが地域経済を疲弊させる要因となっている[7]。東京圏に経済的富や人口が集中するのは、日本企業の利益の大部分が東京圏にあることによって生じるのだから、島根県経済の活性化のためには、島根県に本社を置く中小企業の成長を促していけばよい。中小企業の成長を軸として、労働者とともに地域経済の好循環を作り出していくという視点が重要である。

　しかし、島根県の中小企業は様々な課題を抱えている。図表５は、近年の中小企業数の推移、経営者年齢や開廃業比率などを示している。これをみると、島根県中小企業の減少率は11.8％（小規模企業12.4％）であり、全国の減少率6.0％（小規模企業6.4％）と比べても高くなっている。2016年以前は全国と同程度の減少率だったが、状況は悪化している。

図表５　中小企業数、経営者平均年齢、後継者不在率、開業・廃業比率など（全国、島根県）

		2016年	2021年	増減率（％）
島根県	中小企業数	22,167	19,550	▲ 11.8
	うち小規模企業	19,260	16,866	▲ 12.4
全国	中小企業数	3,578,176	3,364,891	▲ 6.0
	うち小規模企業	3,048,390	2,853,356	▲ 6.4

	経営者平均年齢 （2021年）	後継者不在率 （2023年）	廃業比率	開業比率
島根県	61.4 全国５位	69.2 全国３位	3.8 全国２位	3.3 全国43位
全国	60.3	53.9	3.3	5.1

注：中小企業の定義は、中小企業基本法に基づく。
出所：中小企業庁（2022）「中小企業白書　2022年版」、経済産業省「令和３年経済センサス活動調査」・「平成28年経済センサス活動調査」、㈱帝国データバンク「社長年齢分析調査（2021年）」「後継者不在率動向調査（2023年）」等より作成。

また、島根県の経営者平均年齢（61.4歳）は全国５位、後継者不在率（69.2％）は全国３位、廃業比率（3.8％）は全国２位と高くなっており、開業比率（3.3％）は全国43位と低い水準にある。このまま県内の中小企業の減少が進み、事業承継、起業やスタートアップも順調に進まなければ、経済主体の減少と経済規模の縮小は避けられず、地域経済の安定や成長は見込めないだろう。

３−２　近年の中小企業の経営上の問題点・力点

(1) 「人手不足」や「女性の働き方」への支援

　図表６は、近年の島根県中小企業の経営上の問題点（上図）と力点（下図）を示している。問題点（上図）として最も多い項目は、原材料価格高騰や物価高の影響もあり、「仕入単価の上昇」（48.9％）であった。また、2023年度にかけてポイントが大きく上昇した項目は、「従業員の不足」（前年比5.8増）だったが、「同業者相互の価格競争の激化」（前年比5.2増）や「税負担の増加」（前年比4.9増）なども高くなっている。

　人手不足の問題は、コロナ禍を経て更に深刻化している。島根県の有効求人倍率は1.45倍（2023年11月）であり、全国（1.28倍）を上回っているように、県内では人手不足が続いている。特に若い世代の労働力が不足しており、「人を雇いたくても雇うことができない」状況を改善していく必要がある。しかし、こうした問題への対処は、個別企業の努力だけでは難しい面もあるため、地域のステークホルダー（教育機関、行政、業界団体、住民）間での相互連携がますます重要になる。

　また、女性の働き方の支援という観点も大切である。近年の人口動態を見ると、島根県からの県外転出数は徐々に減少しているが、男性よりも女性の都市圏への転出傾向が目立っている。企業、職種、労働条件などの選択肢の多さ、「働きやすさ」や「キャリア形成のしやすさ」を求めて、地方から都市圏への流出傾向が続いている。こうしたトレンドは多くの地方県で共通する現象だが、「雇用の場を整備すればそれで良し」

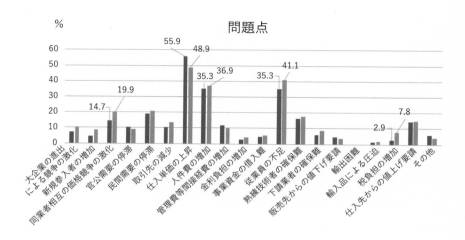

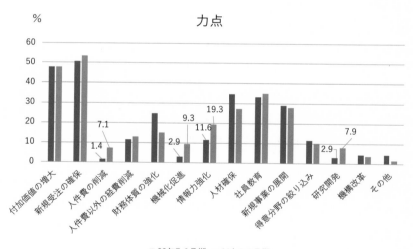

注：複数回答。
出所：島根県中小企業家同友会「景況調査（2022年7-9月期）」、「景況調査（2023年7-9月期）」より作成。

図表６　島根県中小企業の経営上の問題点と力点（2022年、2023年）

とするのではなく、「島根で働くことでどのようなキャリアや人生設計を実現できるのか」という点も検討していかなければならない。労働力不足の慢性化が予想される中で、誰もが働きやすい環境を整備し、島根で働くことの魅力を高めていくことが大事である。

（2）「賃上げ環境の整備」や「デジタル化・DX推進」への支援

　図表6（下図）をみると、経営上の力点として、「人件費の削減」のポイント上昇（前年比5.7増）が大きかった。前述したように、中小企業の労働分配率は約8割と高く、近年の賃金上昇は中小企業経営に影響を与えている。急激な物価高の下で労働者の生活を保障するためには継続的かつ大幅な賃金上昇が不可欠であり、賃上げは消費の拡大だけでなく、島根県経済の活性化に繋がる。他方で、賃金上昇を維持するためには、中小企業自身が稼ぐ付加価値を増大させなければならない。国や地方自治体は、賃上げ原資の確保や労働環境の改善を中小企業が行いやすくできるように、社会保険料の負担や業務改善助成金をはじめとした各種助成金等の支援を進めていく必要がある。また、価格転嫁や価格交渉などの取引環境整備を支援していくことも求められる。

　さらに、中小企業白書（2023年版）では、物価高による収益減少、人手不足、働き方改革による労働時間制約といった諸課題を克服するためには、「価格転嫁」、「イノベーションの加速と生産性の向上」、「賃上げ・所得向上」という「3つの好循環」の実現が重要であると指摘されている[8]。島根県の中小企業でも、図表6（下図）をみると、「機械化促進」（前年比6.4ポイント増）、「情報力強化」（前年比7.7ポイント増）、「研究開発」（前年比5.0ポイント増）などへの意識が高まっており、従来からの人手不足への対応だけでなく、人手不足を前提にした事業構築やマネジメント改革が進んでいるようである。

　しかし、イノベーションの加速や生産性の向上のためには、デジタル化やDX（デジタルトランスフォーメーション）の推進も欠かせないため、

それに関する専門人材の不足や資金面の問題も明らかになっている[9]。DXの取組みに消極的な企業マインドも課題になっており、人手不足への対応と同様に、地域ぐるみの支援や産学官金連携の在り方について思案していかなければならない。

　また、デジタル化においては、デジタルやテクノロジーを適切に使いこなし、マネジメントする「ひとづくり」の視点が肝心である。島根県は県及び19市町村すべてで中小企業振興基本条例が制定されており、中小企業の成長を通した地域づくりの理念を自治体間で共有している稀有な県である。中小企業の諸課題に対して、条例を活かした地域経済づくりをどう実践していくのかという点も大きなポイントになるだろう。

3−3　第1次産業の再生と県内地域間格差の是正

　島根県内の市町村間での経済的不均等を是正し、「県内の均衡ある発展」を実現していくことも島根県経済や島根県全体の持続性を保障するためには大切な視点である。出雲圏域に代表されるように製造業の生産が拡大している地域の経済は比較的好調だが、それ以外の農村部や中山間地域の経済状態は悪化傾向にある。市部と町村部・中山間地域の格差は徐々に拡大している。

　島根県の中山間地域は、県内のほぼ全域に及んでおり、面積89.7％（6,018.5㎢）、林野面積95.1％（4,994.9㎢）、経営耕地面積67.0％（172.6㎢）、人口45.8％（318,154人）、世帯数45.1％（119,599世帯）を占めている（2020年）。島根県という地域の発展や持続可能性を考える場合、中山間地域問題の解決が必須であり、地域の基盤産業である第1次産業の再生が不可欠である。前述したように、市部の第1次産業割合（県内総生産、2019年度）が1.7％なのに対して、町村部は5.7％と高い。元々、島根県の中山間地域経済は、農林業を軸として「資源」、「人間」、「産業」などが「有機的・連鎖的」に結合した多業的な経済関係を形成し発展してきた歴史がある。日本資本主義の戦後の展開過程でこの経済関係は崩されてきた

が、幸い、今でも島根県の中山間地域には豊かな地域資源が残っている。中国山地が育んできた第1次産業を中心とする多業的な経済関係を現代的に再構成することで、島根県の中山間地域の持続性を保障する政策を検討していくべきだろう。

　大手企業の「稼ぐ力」を当てにした地域経済づくりは、一見派手で目を引くが、実はそれほど地域全体に恩恵をもたらすものではない。出雲市では、企業所得の増加率に、賃金の上昇が比例しているわけではない。県全体のほとんどが中山間地域である島根県の地理的特性を考慮すると、企業誘致を軸にした経済政策だけでは地域間の経済的不均等が拡大するだけである。県内の均衡ある発展を目指す中で、地域経済の持続可能性を高めていく施策が求められている。

4．おわりに

　現代はVUCA（ブーカ）の時代とも言われている。VUCAとは、「Volatility：変動性」、「Uncertainty：不確実性」、「Complexity：複雑性」、「Ambiguity：曖昧性」の頭文字をとった造語で、ビジネス環境や市場、組織、個人などを取り巻く環境が変化し、将来の予測が困難になっている状況を表している。近年では、ロシアのウクライナ侵攻、COVID-19や大きな自然災害にみられるように、誰も想定していなかった事態が頻発する時代である。何が起こるかわからないからこそ、身近にある様々な地域資源（人、企業、産業、自然・文化・歴史資源など）をベースとした内発型の経済を構想していくことが大切である。そのためには、島根県経済の発展方向や施策についてみんなで知恵を出し合い、検討していく必要があるだろう。

【注】
1）2020年度の愛知県の法人所得は4.6％だが、2019年度は6.9％だった。
2）山陰中央新報デジタル（2023年12月24日付）。

出雲村田製作所については、安来市でも工場を新設する予定と報じられている（山陰中央新報2024年1月21日付）。

3）枝廣淳子（2015）『レジリエンスとは何か―何があっても折れないこころ、暮らし、地域、社会をつくる』東洋経済新報社。

4）総務省・経済産業省「令和3年経済センサス活動調査」再編加工。

5）岡田知弘（2016）「グローバル化と地域経済の変貌：「地方創生」政策で深まる矛盾」『経済』第254号。

6）中小企業庁（2022）『中小企業白書　小規模企業白書　2022年版』。

7）New Economics Foundation（2002）『THE MONEY TRAIL　Measuring your impact on the local economy using LM3』。

8）中小企業庁（2023）「中小企業白書　小規模企業白書　2023年版」。

9）中小企業基盤整備機構（2023）「中小企業のDX推進に関する調査」。

【参考文献】

枝廣淳子（2018）『地元経済を創りなおす―分析・診断・対策』岩波新書

岡田知弘・川瀬光義・鈴木誠・富樫幸一（2016）『国際化時代の地域経済学（第4版）』有斐閣

保母武彦監修／しまね地域自治研究所編（2022）『しまねの未来と県政を考える―島根発・地方再生への提言〈2〉』

島根県（2020）『島根創生計画　2020－2024年度』

島根県（2020）『島根県中小企業・小規模企業振興基本計画　2020－2024年度』

中小企業庁（2023）『中小企業白書　小規模企業白書　2023年版』

COLUMN 09　島根県の経済と企業の持続化

一般社団法人島根県経営者協会　森　脇　建　二

　1990年代の前半におけるわが国のバブル経済の崩壊が、未だにわが国の経済の上昇発展の足止めになっていると考えている。自分自身を振り返っても、デフレマインドが蔓延し内向きの気分で30年余り活動してきた気がする。島根県でも我が国の経済活動及び企業活動そのままの縮図としてきたのが実態と言えるだろう。

　そして、島根県の経済と企業の持続化については大きな危機感を抱かざるを得ない状況である。このまま進めば、これからの島根県の経済及び企業はどのようになっているだろうか、不安のみが増してきている。

　少子高齢化や人口減少に加え東京圏への人口流出等により、島根県経済は今後ますます、労働力不足や後継者不足などの多くの困難にぶつかると予測される。各種統計予測を見ると、およそ20年後の2040年頃には島根県人口は50万人台をわずかに超える程度になると予測されている。現時点での島根県の生産年齢人口（15才〜64才）割合は50％をわずかに上まわる程度で、全国的には47都道府県中最下位に近い状態である。また我が国自体の人口も毎年70万人弱が減少していく予測も出ている。

　これまで、島根県経済と企業はバブル経済崩壊やリーマンショック、さらにはコロナ禍などのパンデミックなどあらゆる困難を乗り越えてきている。そして今後予測される人手不足に対しても個々に実効性ある対策を実施してきている。例えば女性活躍推進や高齢者雇用、さらには外国人人材の活用などそれぞれの対策をしてきている。

　しかし、人口減少は避けて通れない危機である。市場の縮小や人手不足が顕出してくると考えている。

　当然ながらの解は、個々の企業においては、これまでの人手不足は半永久的に続くと考えておいたほうがいいと言える。大勢の人手を集めて大量生産や大量販売を行い、大量の売り上げを目指すという経営は成り立たなくなると考えている。これらのビジネスモデルの転換を図ることが必要で、対応策としてのビジネスモデルは付加価値の拡大と生産性の向上・効率化が考えら

れる。島根県の労働生産性（従業者1人当たりの付加価値額）は2021年経済センサスでは全国の36位となっており、全国の70％の水準である。この労働生産性を上げること、すなわち「量を求める経営から質を求める経営」に転換できるかどうかが岐路である。

　付加価値の最大化を図っていけるかどうかは、県内外のステークホルダーとの連携が重要である。そしてそれはフロンティアスピリッツを伴う行動力を要する。これまでのビジネスモデルを踏襲してばかりではなく、自ら新しいビジネスモデルを見出していく行動力が必要となる。すなわち島根県の企業にとっては保守的であることが長所と見なされる時代は終了したと考えられる。ことなかれ主義やリスク回避だけでは企業は持続できない。新たに付加価値を創造することが求められる。

　具体的には労働投入の効率化も必要となる。労働力不足が深刻化している中で、2019年から始まった働き方改革を推進し、労働時間の削減や業務プロセスの見直しが重要なポイントになる。オンラインのコミュニケーションツール活用の情報共有化、自動化等による作業時間削減・平準化等高付加価値創出の為の投資が必要となってくる。

　2023年11月に島根県経営者協会で3回実施した「チャットGPT活用セミナー」に多くの経営者や管理監督者に参加いただいたが、このような生成AIなどの人工知能を活用した業務効率化の波が押し寄せている。生産性を上げるためのツールと見なしているが、これは事務系だけでなく生産現場にも活用できるツールである。

　そして事業を継続するためには、計画や手順のみにこだわらない創意工夫が必要であり、刻一刻と変わる環境変化や想定外の事態に適応できる力があるかどうかが問われている。

　最後に、コロナ禍の時には国などの公共体の補助金や助成金などの支援、更にはゼロゼロ融資等など見える手での支援が数多くあったが、コロナ禍の終焉と共に今後はこの見える手は漸次なくなり、これらに頼らない経営が必要になった。

　即ち他力本願の経営ではなく、自力更生の経営で今後経営者が進むことを望む。

働くこと

連合島根　景山　誠

　今、私たちは成熟社会、超少子高齢・人口減少社会の進展をはじめ、多様な政策課題に直面しています。そのような中で、人々がともに支えあう連帯社会を構築していくためには公益を追求する組織としての労働組合や協同組合組織、NGO・NPO、企業などの活動が見直され、さらに強く連携していくことが求められるでしょう。超少子高齢・人口減少の中において、持続可能な社会としていくためには、ジェンダーや年齢に関係なく、市民が参加する地域社会を作っていかなければならないとも感じます。働くことを通じて社会参加することはもちろんですし、社会全体の人々が暮らしていくために必要なサービスを受ける暮らしの現場である地域コミュニティーを再生していかねばならないと思います。

　さて、コラム寄稿の機会を得て、「働く」とはどういった意味や価値観があるのだろうと改めて考えてみました。私が高校卒業後松江市内の民間会社に採用され、工場勤務となったのはもう40年近く前になります。設備投資が盛んに行われる背景があり、より生産性を高めるための交代勤務が世の中に定着する時代でした。工場勤務の最中、さほど働くことの意味など考えたこともなかったと思います。一方、この工場勤務の傍ら、労働組合の役員を引き受け労働運動に関わることになったのですが、このころから芽生えてきた疑問が「私は何のために生きているの」「私は何で働くのだろう」であったと思います。働くことに対する意味や目的は当然十人十色であり正解も不正解もないのだとも感じています。一般的に働くことの意味は、「生きていくため」「自分の成長や自己実現」「社会貢献」といったことで解説がなされることが多いと思います。

　私の人生において、働くことはその時間の膨大さや、当然そこにあるものとして大きな影響を私に与え続けてきてくれたと思います。労働者の定年はこれまでおよそ60歳までとされてきたのですが、最近では65歳そして70歳へとその節目は変化しつつあります。現代の労働者にとってより働くことは人生の大半を占めうるものへと変革してきています。人口構成の変化は、日本

社会の労働力の不足を招き、経済の供給面でも、ライフステージによって必要となる財やサービスに対して、構造的な変化を引き起こしているのです。

　まだまだ若輩の私ではありますが、今現在の自分にとっての働くことについての意義について少し述べたいと思います。私にとって働くことは、生きることであり、人と人・職場と社会をつなぐ事であると考えます。この、人と人がつながるための私は、ブリッジビルダー、すなわち働く者同士をつなぎ、社会と労働者、企業をつなぐ橋渡し役だとも言えると思います。働く人は職場・職域に存在をするのですが、それぞれに職場・地域・家庭などにおける課題と社会への課題との接点を見出し、解決していくことへ挑戦していくことが大切だと思います。課題を解決し、新たな価値を創造していくことこそがイノベーションであり、そこにこそ個人の成長や自己実現が生まれうるのではないかとも考えます。昨今、働くことは効率や生産性の側面から論じられることが多いのですが、働くことは生身の人間が行う営みなのだから職場や地域社会は働く人の拠り所とならねばならないと強く思います。

　労働運動を推進している私にとって、働くことは最も重要な価値です。「何のために働くのか」このことは言い換えれば「何のために生きるのか」との問いに答えることでもあるでしょう。島根県は超少子高齢県であり、人口減少の一途をたどる中にあって、生産年齢人口も今後減っていきます。若者の県外流出にも現在歯止めがかかっていません。飛躍的な展望はない一方で、先に述べた人と人・人と地域・会社と社会の結びつきについては他に勝るものがあると感じています。小さなコミュニティーならではの結びつきの強さが島根県の将来を明るく照らしてくれることを願ってやみません。社会の一員でありステークホルダーである労働者は、この国の・島根県の・地域社会の持続性のために不可欠な存在です。働くことを通じて享受されるすべてのことに感謝して今後も働いていきたいと思います。

第8章

地方に定住する外国人労働者
― 出雲市の日系ブラジル人を例に ―

鳥取短期大学生活学科　植　木　　洋

1．はじめに

　法務省出入国管理庁の「在留外国人統計」によると、2023年6月末現在、日本に中長期に在留する外国人の数は約293.9万人に達している。在留外国人に付与される在留資格のうち、最も多いのが「永住者」であり88.0万人（27.3％）にのぼる。また、「永住者」に「定住者」や「日本人の配偶者等」等も含めた「身分・地位に基づく在留資格」を有する者の数は128.8万人（39.9％）に及んでいる。

　本章で取り上げる日系人の多くは「身分・地位に基づく在留資格」を有している。そのなかでも日系ブラジル人は1990年の入管法改正以降増加し、「自動車や電機産業を中心とする製造業関連の大企業、およびその傘下・系列下にある膨大な下請け企業群が立地・集積する（北関東・東海地域の（筆者注））地方工業都市で就労するという構造的特性を持つ」（大久保［2005］）ようになっている。また、1990年代以降の日本において非正規雇用が拡がるなか、「日系人労働者は異常なくらい請負労働市場に集積」（丹野［2007］）している。

　それからおよそ30年が経った。この間リーマンショックや新型コロナウィルス感染症拡大など日本経済が危機に直面した時に限らず、雇用調整に幾度もさらされながら、日系人は日本で働き生活し続けてきた。この過程で彼らの居住地は「膨大な下請け企業群」が存在せず、日系人を雇い入れる就労先も限られる日本海側の非集住地域（北陸地域、出雲市）

にも拡がりを見せるようになる。

　俵［2006］は、石川県小松市を対象に非集住地域在住の日系人の特徴として次の4点を指摘している。①請負業者等が移住プロセスを管理する市場媒介型が大半で、移住先には家族や親類、友人などが少なくネットワークが無い。そのため、②困りごとがあると請負会社に頼ることになる。また、③日系人人口が少なく、移民コミュニティが未形成であるため、④出稼ぎがメインとなり仕事優先で地域間を移動することが多い。

　本章ではこれを参考にしつつ、島根県出雲市を対象に日系人が定住するようになった背景とその特徴の変化を見ていくことにする。

2．出雲市の日系人

　出雲市の住民基本台帳によると、2023年3月時点での在住外国人は4,409人となっている。2014年の頃は1,969人と、出雲市の人口に占める割合は1.1％であった。しかし、そこから徐々に数が増え、2018年に4,000人を超え、その割合も2％台に達するようになる。ピークを迎えた2021年から2022年には2.8％を占めるようになっている。

　こうした状況に対し出雲市は2015年の「ひと・まち・しごと創成総合戦略」において定住外国人の割合を高める方向を目指すようになっている。翌2016年には「多文化共生推進プラン」を策定し、外国人の定住に向けた教育施策などを充実させ始める。

　こうした変化はブラジル人の流入を加速させることになる。2000年代以降2014年まで同市におけるブラジル人の数は、2009年を除き、およそ1,000人前後、割合にして40％から50％で推移していた。ところが、2015年に1,488人と60％の割合を超えてから上昇傾向が続き、ピークの2022年には3,563人、74.2％を占めるに至る（表1）。

表1　出雲市における国籍別在住外国人の推移（2014年－2023年）

	2014	2015	2016	2017	2018	2019	2020	2021	2022	2023
出雲市人口	174,505	174,538	174,957	174,724	175,220	175,593	174,790	174,708	174,226	173,136
日本人住民	172,536	172,098	172,058	171,598	171,219	170,685	170,185	169,862	169,421	168,727
外国人住民総数	1,969	2,440	2,899	3,126	4,001	4,908	4,605	4,846	4,805	4,409
外国人住民登録者の割合（%）	1.1	1.4	1.7	1.8	2.3	2.8	2.6	2.8	2.8	2.5
ブラジル	1,039	1,488	1,891	2,064	2,862	3,522	3,123	3,423	3,563	3,035
中国	455	409	368	338	301	323	329	301	251	227
韓国・朝鮮	169	166	166	162	154	154	152	157	155	148
フィリピン	165	173	186	174	178	245	210	214	206	221
ベトナム	37	77	104	141	223	344	419	416	341	360
その他	104	127	184	247	283	320	372	335	289	418
外国人に占めるブラジル出身者の割合（%）	52.8	61.0	65.2	66.0	71.5	71.8	67.8	70.6	74.2	68.8

（注）いずれも各年の3月末時点の数値。
（出所）鈴木（2019）、『第2期　出雲市多文化共生推進プラン』および「出雲市住民基本台帳」より作成。

3．受け入れ企業と業務請負業

3−1　受け入れ企業

　出雲市の工業をけん引するのは電子部品・デバイス産業である。2019年の工業統計によると、出雲市294所の事業所のうち同産業の事業所は10所（3.4%）[（）内は出雲市に占める割合（以下同）] 存在する。これらの事業所で4,921人（33.7%）の従業員を雇用し、2,106.5億円（39.4%）の製品を出荷し、943.8億円（52.1%）の付加価値額を生み出すなど、同産業が有数の基幹産業となっていることがわかる。

　出雲市の電子部品・デバイス産業の中心にあるのがX社であり、同社は京都府に本社を置くXグループのグループ企業である。Xグループの主力製品のひとつに電子機器の小型化・高性能化に欠かせない積層セラミックコンデンサがあり、世界トップのシェアを占めている。この製品は主にスマートフォン向けに出荷しているが、近年電装化が進む自動車

部品としても売り上げが拡大している。

　売り上げ拡大を生産面で支えているのがX社である。2014年を皮切り
に、以降次々と工場棟を含む諸施設を建設していき、2019年には400億円
を投資して新工場棟を建設する。その後も規模はさらに拡大を続けてい
る。また、生産規模の拡大に合わせ同社の従業員数も2014年の2,931人か
ら2020年の4,627人にかけて年々増加しており、この間の増加率は57.9%
に達している。

　このように、生産規模の拡大に合わせ働く人の数も増えているが、X
社ではほかにも業務請負業者から請負工を自社工場に受け入れている。
そこで働く人々が日系ブラジル人である。

3−2. 業務請負業とその業務

　X社に請負社員を送り出しているのが、大阪府に本社を置き1991年に
出雲営業所を立ち上げたY社と、愛知県に本社があり1997年に出雲市に
山陰営業所を設けたZ社である。ここでは両社の業務内容を見ることと
する。

(1) 募集・採用・生活支援

　日系ブラジル人の募集・採用は国内外の二つのルートがある。国内採
用についてはインターネットのホームページ上やブラジル人向けの求人
誌に広告を出して募集する。一方、国外では、Y社はブラジル現地法人を
設立するとともに、そこで面接した人を日本へ送り出している。採用者
の割合は国外新規採用70%、国内新規採用5%、リピーター25%となっ
ている。

　Y社の社員が現地で採用面接をする場合、応募者によってその時間が
異なる。単身者や夫婦だけの場合20分程度であるが、家族連れだと1時
間ほどかけて行われる。特に、小学校高学年から中学生といった思春期
に達している子どもと一緒に来日しようとする場合、日本の学校生活に

子どもが適応する際の様々な障害について丁寧に説明していく。

　業務請負業者の生活支援は広範囲に及んでいる。宮本［2017］によると、業務請負業者は日系人が来日するさいに彼らを空港に出迎え、そのまま借り受けているアパートに連れていき、翌日には市役所に連れていき住民票登録を支援する。勤務時には日系人が住むアパートを巡回する送迎バスを手配するとともに、けがや体調不良などの際には通訳として病院に付き添っている。

　以上のように、出雲市の日系ブラジル人の移住には業務請負業者が深く関与する市場媒介型と呼ばれる形態が大半を占めている。ゆえに移住先には家族や親類、友人などが少なくネットワークが無いため、困りごとが生じた場合には業務請負業者に頼るしかないといった状況が生じている。このことから、同市でも俵［2006］が指摘した非集住地域の日系人の特徴①②と同様の傾向にあることが確認できる。

(2) 作業管理

　業務請負業者はX社から敷地内の複数の工場棟でラインを請け負っている。１つの作業チームは10名から20名で構成され、ラインで働くのは全て日系ブラジル人である。

　Z社では班長などの現場監督者がX社の日本人の職制と相談しながら作業を進めていく。班長は作業者の状態を随時チェックし、体調管理から精神面のフォローまでを行うことで生産効率の向上を図る。同社では班長もすべて日系人を登用している。

　生産現場では人間関係上のトラブルもある。ブラジルからの初来日の場合、覚悟を持ってやってくるため比較的勤勉な労働者が多いと見られている。また、職歴としても前職が医者や弁護士など専門職として働いてきた人もいる。一方で、東海地域などから移動してきた人の場合、国内の様々な現場で働いてきた経験を持っていることから仕事へのインセンティブが低いケースが見られる。このように多様な背景の労働者が同一

ラインで互いに協力して作業を進めないといけないという状況では、労働に対する考え方や品質に対する考え方に違いが生じトラブルへと発展することもある。班長がそうした人間関係上のトラブルへの対処をうまくできないと班全体の作業に支障をきたすなどの問題が生じかねない。

　こうした能力が求められる班長には、日本人職制とのコミュニケーションを円滑に進めるだけの日本語能力が何よりも求められる。同時に、作業者であるブラジル人をまとめていくリーダーシップも必要とされている。こうした点から、班長以上の職制に昇格していくには3年から5年ほどの勤務が必要とされている。

　なお、班長の下には、作業者が病欠などで抜けた場合や、新人で作業効率が悪い場合などにその穴を埋めたりフォローに回ったりする工程リーダー、作業者（オペレーター）がいる。

（3）賃金および労働時間管理

　賃金は職制に応じて数段階に分かれている。Y社では、オペレーターの場合1,250円から始まり約半年ごとに50円ずつ最大1,400円まで上がる。工程リーダーになると1,450円になり、班長になるとさらに1,570円となる。

　求人リストを参考に労働時間を見てみると、Y社は1日のうち8:30から18:35までの日勤と20:30から6:35までの夜勤、Z社は8:45から18:50までの日勤と20:45から6:50までの夜勤の二交代制になっている。実際にはさらに2時間から3時間の残業がプラスされ、途中に45分間の休憩をはさみつつ実質12時間の拘束時間となっている。シフトは2018年まで長らく6日間勤務して1日休みの形態が続き、日勤か夜勤のどちらかに固定されていた。

4．定住化と業務請負業の対応

4-1　日系ブラジル人の変化

　前述のように出雲市では2015年を境にブラジル人が急増した。その過

程でブラジル人の人口構成にも変化が生じた。2014年時点では23.7％し
かなかった女性の割合が徐々に増え、2022年には39.5％に達する。特に
2018年以降の５年間でその傾向が顕著になっている。同時に、人口に占
める世帯の割合もおよそ10年間で20％近く低下している（表２）。これは
単身男性の「デカセギ」中心の労働者から、夫婦ないしは子ども連れの
家族で出雲市に移住してくる人たちの割合が高まっていることを示して
いる。実際、Y社へのヒアリングでも家族連れが５割、単身者が５割ほ
どとのことであった。また、単身の場合でも後日家族を呼び寄せるケー
スが増えている。

　日系ブラジル人の世帯が単身世帯から複数世帯に変化するのに伴い定
住志向も高まっている。2020年１月に出雲市が実施した『出雲市ブラジ
ル住民アンケート』の調査報告書（概要版）（n=467、回収率18.0％）に
よると、「ずっと住むつもり」と回答した者が31.9％、同じく「４年〜５
年」と回答した者を合わせると48.8％にのぼり、３年未満の19.9％と比べ

表２　出雲市におけるブラジル住民の推移

年	計	男	女	男性の割合（％）	女性の割合（％）	世帯数	人口に占める世帯の割合（％）
2014	1,039	793	246	76.3	23.7	792	76.2
2015	1,488	1,038	450	69.8	30.2	1,020	68.5
2016	1,891	1,324	567	70.0	30.0	1,298	68.6
2017	2,064	1,418	646	68.7	31.3	1,388	67.2
2018	2,862	1,885	977	65.9	34.1	1,847	64.5
2019	3,522	2,241	1,281	63.6	36.4	2,200	62.5
2020	3,123	1,931	1,192	61.8	38.2	1,834	58.7
2021	3,423	2,104	1,319	61.5	38.5	2,021	59.0
2022	3,563	2,155	1,408	60.5	39.5	2,083	58.5
2023	3,035	1,798	1,237	59.2	40.8	1,671	55.1

（出典）『出雲市住民基本台帳』各年版より作成
（注）各年とも３月末時点の数値

て高い割合を示している。また、「ずっと住むつもり」と回答した者のうち、30歳代が37.9％、40歳代が42.4％とより高い傾向にある。

　さらに、同居者の有無と同居相手を複数回答で聞いた質問でも単身者が19.3％であるのに対し、結婚相手と同居が62.7％、子どもと同居は28.3％となる。

4-2　労働時間の変化

　前述のように従来Z社では6勤1休のシフトが組まれていたが、現場では過酷な労働に起因するストレスからいじめなどが発生していた。また、女性労働者の割合が高まってきたこともあり、2018年に5勤2休のシフトに変えたところいじめなどの問題が減ったとのことである。さらに、2019年から始まった働き方改革に伴う残業規制に対応するため、2020年には4勤2休へ移行している。一方Y社では、従来夜間勤務に固定されていた労働者から日中勤務への移動の希望があればそれを受け入れる措置が取られるようになる。また、そもそも残業時間を含めると12時間連続勤務というシフトそのものが働きすぎの状態であり、安全性や健康への影響が懸念されることから、子どもを持つ女性社員の場合、申し出があれば8時間勤務への変更を許可している。このように、家族連れの世帯が増えたことで、労働者自身が長時間働き「稼ぐ」ことよりも家族との生活を考慮した働き方を望むようになっており、労働時間管理のあり方もそれに対応するようになっている。

　業務請負業者は日系ブラジル人の多様化に合わせて労務管理を変化させることでX社内での雇用を維持・拡大しており、そのことが彼らの定住化を促進していると考えられる。

4-3　日系ブラジル人のキャリア形成

　日系ブラジル人の定住志向が高まるとともに、キャリア形成も見られるようになる（上林［2022]）。

両社に在籍する大多数の日系ブラジル人の雇用契約は３か月更新の有期雇用である。しかし、５年以上の契約更新を継続した結果無期雇用へと転換している者もいる。さらに、Ｙ社ではこの事業所で働く在籍者約1,200名（2020年時点）のうち５％程度の正社員・準社員が存在しており、職長や社長の面接などを経て非正規雇用から正規雇用へと転換する正社員登用制度が設けられている。

　一方、Ｚ社でも2020年頃から長期就労者に向けた評価制度が導入されている。同社では勤続３年目に1,450円まで昇給すると、それ以降頭打ちになる。その代わり、４年目からは1,450円の固定給に加え業績給が導入される。これは勤怠状況や作業量などを評価して加算されるものである。このように作業の習熟度に合わせて給与も上昇することでインセンティブを高めることを狙っている。こうした制度はＺ社のグループ会社の中では山陰営業所のみで実施されており、評価項目などの調整を図りつつ、今後は全国的に取り入れていくことが考えられている。また、同社では経験を積み重ねることで現場から離れ、主任－係長－課長と管理職へとキャリアアップしていく者もいる。

　以上のように、業務請負業者は正社員登用制度を設けたり、評価制度を導入するなど優秀な社員に対する待遇を向上させている。こうした動きを進めているのは、受入れ先であるＸ社において2010年代半ばから増産傾向が続き、今後も生産が拡大され人員の増員が見込まれることから、現在すでに働いている人たちにできるだけ長く働いてもらう必要があることが一つの要因である。

　また、現場の監督は自社が行う必要があり、それが可能なブラジル人を育てたり雇ったりしないといけない。しかし、その求められている数が現在急速に増えている。そのため、現時点で工程リーダーになっている、もしくは、今後なりうる社員に対し、業績を評価し賃金に反映させることで長期的雇用へとつなげていきたいと考えていることがもう一つの要因となっていることが考えられる。

4-4　労務管理の外延的拡充

　日系人非集住地域の出雲市には、日系人にとっての生活インフラである
スーパーや教会、あるいはディスコなどの遊び場が整っていない。そ
のため、ブラジル人同士で集う場が少なく、生活が単調になりがちで、
孤独な状況に陥りやすいという課題を抱えている。

　こうした状況に対し、Z社はブラジルの日本人会のような居場所とな
る拠点づくりを構想する。そこでは日系人の生活不安を取り除いて、日
本社会で自立していけるようになることを目標に、2017年9月コミュニ
ティ支援センターを設立した。センター長はZ社で勤務していた日系人
であり、会社のことも、日系人としての苦労も分かる人材として派遣さ
れる。

　センターははじめに日本語教室の開催に乗り出した。当初は10名程度
であったものが急速にその数が増え、ピーク時の2018年から2019年には
150人から170人ほどの受講者がいた。その後、コロナ禍に入り減少する
が、2021年時点でも約70人が受講していた。また、日系ブラジル人同士
の交流会（手巻きずし体験、俳句会など）や地元の高校生や大学生、幼
稚園の子どもたちとの見学会や交流会の機会も設けている。

　さらに、パスポートや在留資格等の更新に必要な書類のチェックなど
の実務的支援、会社の中では話せないようなメンタル相談も含め多岐に
わたる支援を行っている。

　Z社では、さらに2019年に定員60名の企業主導型保育園を、2021年に
は学童保育も設立する。いずれも、日系人だけでなく地元の日本人家庭
の子どもも受入れ、両者が共に過ごし学びあう場の形成に努めている。

　Z社がこうした生活支援に乗り出すのは、日系ブラジル人が地域社会
に受け入れられるようになってほしいという同社の持つ多文化共生的な
理念もあるが、常時数千人の日系人が移住者向けのインフラの整ってい
ない地域社会で暮らしていくには限界があり、そのことは事業存立の危
機をもたらしかねない。そのため、企業自らが乗り出さないといけなく

なったという点も挙げられる。

　他方で、こうした本業とは異なる事業への進出は、Z社にとってもメリットがある。出雲市の事業所は本業と移住インフラ支援を両立させた事業展開を進めることで、家族連れで来日し定住志向が強まる日系人の採用に強みを発揮している。また、こうした出雲事業所の取り組みはZ社グループの中でも先進的な事例として捉えられており、今後他の事業所でも展開されていく可能性を有している。

5．おわりに

　以上のように、従来、出雲市は非集住地域の特徴を有していたが、2010年代半ば以降、定住志向の家族連れが増えていき新たなステージに入ったと言うことができる。

　こうした変化は、業務請負業者にとって日系人が安定的に生活者として出雲市に定住する状況を自らが作り出さないと事業継続に支障をきたすようになる。そこで、労働面では長期就労者のインセンティブを高める評価制度を設けるとともに、優秀な日系ブラジル人労働者を積極的に管理監督者へと登用するなど労務管理を高度化させていく。他方、生活面ではコミュニティ支援センターや保育園・学童保育など生活支援の場を設けるなど日系人が地域社会に溶け込めるような展開を進めていくなど、自ら移住インフラの整備や移民コミュニティの形成に関与する状況が生まれている。

【参考・引用文献】

植木洋（2021）「島根県出雲市における日系ブラジル人の集住化とその要因」『山陰研究』，14，p.25-47.

植木洋（2023）「日系人労働者と業務請負業者—島根県出雲市を例に—」『労務理論学会誌』第32号，p.63-78.

大久保武（2005）『日系人の労働市場とエスニシティ』，御茶の水書房.

上林千恵子、山口塁、長谷川翼（2021）「出雲市における産業振興・雇用創出

　　と外国人労働者（1）」『社会士林』，法政大学社会学部学会，68（1），p.45-65.
上林千恵子、山口塁、長谷川翼（2022）「出雲市における産業振興・雇用創出
　　と外国人労働者（2）」『社会士林』，法政大学社会学部学会，68（4），p.71-
　　113.
俵希實（2006）「日系ブラジル人の居住地域と生活展開」『ソシオロジ』，156，
　　p.69-85.
丹野清人（2007）『越境する雇用システムと外国人労働者』，東京大学出版会.
宮本恭子（2017）「持続可能な社会に向けた外国人労働者の受入れに関する研
　　究」『山陰研究』，10，p.1-19.

地域と共に歩む　中小企業のあるべき姿

島根県中小企業家同友会　吉 岡 佳 紀

　コロナ禍からの経済的な復旧は進みつつあるが、仕入れ価格や人件費の上昇、深刻な人手不足など、中小企業を取り巻く情勢は依然として厳しい状況にある。また、労働力不足と賃上げの必要性、価格転嫁力の向上、DX化やイノベーションによる生産性向上など、対応すべき経営環境の変化は多様化しており、これらの課題に対して一部の経営陣だけで情報収集・分析し、方向性を定めてきた従来型のトップダウン型の経営では対応できなくなっている。そんな中で、近年ではティール組織のような、上司の指示がなくとも各自の自律的な意思決定によって生産性を向上している事例が増えるなど、マネジメントのあり方にもパラダイムシフトが起こっている。急速かつ多方面にわたる事業環境の変化に対応しつつ、人員不足や付加価値向上を実現するためには、社員ひとりひとりが持てる能力を発揮できる職場環境を整えることが最重要課題になっている。

　中小企業家同友会は、経営理念・10年ビジョン・経営方針・中期短期経営計画を社内で明文化して共有しながら組織運営を行う「経営指針の成文化と実践」を提唱してきた。島根県内においてもこれまで20年余にわたりこの運動を展開してきたが、会内で行っている調査においても、こうした取り組みを実践している会社は利益率が高く、かつ離職率が低い傾向にあることが明らかになっている。人口減少が続き国内マーケットが縮小する中で、労働環境の改善や賃上げを実現していくためには付加価値の向上が必要であることは言うまでもない。このため、企業だけでなく行政や金融機関も「商品開発」や「市場開拓」に活路を見出そうとあらゆる方策を試してきた。スピード感が求められる市場環境の中、トップダウン型でこれを推進するケースが多いが、半面この手法には大きなデメリットも内在している。社員は売上や利益を上げる、数値を目的とした労働を余儀なくされ、経営者の狙いと現場の想いが乖離する事象は多くの企業で発現している。こういったことから、結果として販売に結びつかなかったり社員のモチベーションの低下、ひいては離職を招いてしまう事態に陥ることもある。また、近年の若者はモノやカネに対するこだわりよりも自身の生き方や存在価値を高めたいという志向が強

まっており、労働の対価として必ずしも金銭的あるいは昇進といった評価を求めるものではなくなっている。このため、企業は売り上げや利益を事業の目的とせず、自社の社会的なミッションを明らかにすることで、自らの仕事がいかにして社会に貢献するのかを示すことが求められている。自社の社会的存在意義や、労働がもたらす社会への貢献を目的とした組織をつくり上げることで、はじめて社員は自発的自立的に価値創造に向かうことができるからである。従来型の、指示命令系統の中に従属するシステムではなく、社員が自らの発想で情報を集め提案し、業務の改善や付加価値向上に取り組める仕組みや社風づくりへと、経営のあり方にも変化が起こっている。

　また、一方で個別企業の自主的な努力だけでは解決できない課題も数多く存在している。特に少子高齢化に伴う地域課題については、産学官民が一体となって変化に対応していかなければならない。香川県中小企業家同友会では、行政や高校と連携して2019年から「共育型インターンシップ」を始めたが、その成果が認知され2023年には県の教育委員会と包括的連携協定を結ぶに至っている。これは単なる職場体験に留まらず、主に高校生が業務を観察して質問をする「ジョブシャドウイング」という手法を用いている。それにより生徒は経営理念や働くことの意味、面白さを理解し、地元の企業を深く知ることができる。また企業においてもそれらを説明することで新たな学びを得たり、高校生に恥じない職場づくりへの意識が高まるという「共に育つ」インターンシップとなっている。島根県においても、地域に若者を残すという目的のもとに様々な取り組みが成されているが、現時点で企業側は単に職場体験の受入者という役割しか果たしておらず、香川県の事例は中小企業振興条例を生かした地域ぐるみの活性化策として注目に値する。

　このように、これからの中小企業は自社事業の発展のみならず、地域の課題に向き合い、教育や文化の振興に寄与し、地域から必要とされる存在となることが必要である。県内労働者の９割以上が働く中小企業は、雇用を守るだけでなく、多くの県民の生き方にも重要な役割を果たしている。県民ひとりひとりが充実した仕事をし、地域社会に貢献する実感を持ちつつ、生きがいや使命感、誇りを持って生きていける社会を創る。そして子どもたちがその姿を見て地域に生きることに意義を感じる。その循環は小さな自治体、小さな企業であるからこそ実現できる可能性があり、地域全体のWell-beingを目指す経営は、時代の要請となっている。

COLUMN 12　　持続可能な地域社会の実現に向けた産学官連携の役割とは

島根大学オープンイノベーション推進本部　吉　田　　修

１．産学官連携とは

　産学官連携という用語は多くの場面で利用されますが、その定義を明確に示した記述はありません。一般には「産」である民間企業やNPO法人等のビジネスセクター、「学」である大学、大学共同利用機関、高等専門学校等のアカデミックセクターによる科学技術・イノベーション創出につながる広範な産学協働を「官」である政府系試験研究機関、国、地方公共団体が支援する組織的な活動と解されます。また、具体的な協働内容といえば共同研究・受託研究となりますが、平成15年に文科省の技術・研究基盤部会が例として図１に示す５つの類型を報告しています。このように産学官連携には人材育成、スタートアップ創出を含む幅広い協働機会が該当するのですが、反面、一定水準の規模、技術力及び研究部門を有する「産」が対象だとか、産学協働はコストがかかるとか、地域においては自社に縁遠いと思われる企業が多いのが実状です。そのため地方大学と地域企業の連携には少なからず壁があるように思われます。しかし、近年はその役割に持続可能な地域社会の実現への関与等の新しい要素が政策的に加わり、特色ある取組みも見られるようになってきました。次に島根県で始まった取組みについて説明をします。

1．企業と大学等との共同研究、受託研究など研究面での活動
2．企業でのインターンシップ、教育プログラム共同開発など教育面での連携
3．TLO（Technology Licensing Organization：技術移転機関）の活動など大学等の研究成果に関する技術移転活動
4．兼業制度に基づく技術指導など研究者によるコンサルタント活動
5．大学等の研究成果や人的資源等に基づいた起業

図１　産学官連携の５つの類型

2．島根県における持続可能な地域社会への産学官連携の役割

　令和2年3月に策定された島根創生計画には「当面の間、人口減少は続くものの、産業の活性化により所得が向上し、魅力的な仕事が増えることで、島根に残る若者、戻る若者、移ってくる若者が増える」という10年後の将来ビジョンが示され、産学官連携の強化は「ものづくり産業」の振興の具体策になっています。地域社会の持続性を考えるうえで、「ひと」が重要視され、その「ひと」を留める、または引き寄せるための「まち」、「しごと」を創る基本理念があることがうかがえます。

　地域経済分析システム（内閣府地域経済産業調査室）から平成30年の島根県の産業の状況を見ると、「ものづくり産業」が主体である第二次産業の一人当たり付加価値額（いわゆる労働生産性）は全国41位と低位で、その収益力も同様な水準にあると考えられます。そもそも中小企業比率が高い地域ですので、誘致企業等の一部の企業、業種を除けば、市場の縮小や労働者不足、グローバル競争の激化等の環境への対応は厳しいものです。域外から外貨を獲得し、地域への経済効果が大きい産業と位置付けられる「ものづくり産業」は、その成長力や技術力が仕事としての魅力の一つですが、人材確保、設備投資及び技術開発等への対応が遅れると、どうしても企業間または地域間で格差が生じてしまいます。このような格差により仕事の魅力が相対的に薄れることは、「ものづくり産業」に限らず多くの産業に共通する課題の一つです。

　この観点から、島根県は令和5年7月に県内高等教育機関と支援機関が連携して「しまねオープンイノベーションプラットホーム」を立ち上げています。脱炭素化やデジタル化等の進展による産業構造のグローバルな変化に地域企業が遅滞なく対応し、産業の底上げを図るオープンイノベーションを推進する産学官連携のワンストップ窓口ですが、経営規模、業種を問わず、「産」の成長や企業課題解決を後押しする仕組みだと理解しています。多様な分野で研究を進める「学」にとっても、研究シーズを社会実装につなげる絶好の機会ですが、共同研究や技術移転活動に限定せず幅広い協働機会を受け入れる姿勢が大切です。この仕組みを通して、これまで接点が少なかった「産」と「学」が相互理解を進め、地域の将来ビジョンを共有するプロセスが必要だからです。そして「官」の支援のもと「魅力的な仕事」とは何かを一緒に

考え、「学」の知を用いて実現させる場に発展してほしいと考えます。まだ緒に就いたばかりですが、意欲的な企業の皆様、ぜひホームページを覗いてみてください。

3．終わりに

　産学官連携は持続可能な地域社会を構築するための課題解決手段の一つになりえます。産学官連携をコストではなく価値への投資と捉え、個の連携から地域連携へと視点を拡大し、「産」と「学」の両者が対等なパートナーとして協働している、そんな地域社会の実現を私は待望しています。

【参考】
島根オープンイノベーションプラットホームHP（島根県庁HP内）
https://www.pref.shimane.lg.jp/industry/syoko/sangyo/chiiki/sop.html

---

第9章

失われる島根県の「小さな農業」

島根大学法文学部　藤　本　晴　久

１．はじめに

　島根県の第1次産業は急速に縮小している。また、新型コロナウィルス感染症（COVID-19）、肥料価格や飼料価格の高騰などの影響で第1次産業を取り巻く環境はいっそう厳しさを増している。農業をはじめとする第1次産業は島根県のほぼ全域（面積89.7%、人口45.8%、世帯数45.1%、2020年）に及ぶ中山間地域の基盤産業であり、基盤産業の衰退は、中山間地域だけでなく島根県全体の持続性にとっても暗い影を落とす。中山間地域の生業である第1次産業の再生のためには、まず現状を正確に捉え、様々な角度から対策を検討していかなければならない。本章では、主体動向に焦点を当て、島根県農業の現状と課題を分析する。

２．島根県の農業はどうなっているのか？

２−１　島根県や中山間地域にとっての第1次産業

　島根県の中山間地域で就業率の高い産業は、農林業、建設業、製造業、卸売・小売業、医療・福祉等である。中でも、医療・福祉（16.6%）の就業率が最も高く、卸売・小売業（13.8%）、製造業（13.8%）、農林業（10.2%）等がそれに続いている[1]。図表1で就業者ベース（2020年）の特化係数（ある地域の産業が、全国と比べて、どれだけ多いか少ないかを示す指標）を確認すると、島根県は農林水産業、鉱業・採石業ほか、建設業、電気・ガス・熱供給・水道業、教育・学習支援業、医療・福祉、

公務や複合サービス事業（郵便局や協同組合等）などに特化している[2]。農林水産業（第1次産業）は中山間地域だけでなく、今なお、島根県経済全体を支える基盤産業のひとつであり、その動静は島根県の地域社会の在り方に大きな影響を与えることは容易に推察できる。

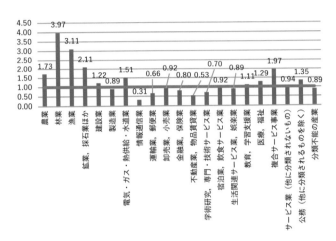

出所：国勢調査「就業状態等基本集計」（2020年）より作成。
注：就業者ベースで算出。

図表1　島根県産業の特化係数（2020年）

2−2　島根県農業の主体動向

　近年の主体動向（農業経営体や農家）を図表2で確認すると、島根県の農業経営体（または農家）の減少率は、全国と比較しても高くなっている[3]。この10年間で、個人経営体は40.0％、販売農家は40.5％減少した。法人経営や団体経営体については、島根県の増加率は全国よりも高いが、これは県内で集落営農法人が数多く設立されているためである。全国の集落営農法人組織率は36.8％だが、島根県の組織率は48.7％である（2020年）。個人経営体減少の流れを食い止めようとする動きが、県内の団体経営体（特に集落営農の法人化）の増加に表れている。

　よく知られているように、島根県は、小規模な家族農業や兼業農業（い

図表２　島根県の農業経営体及び農家の推移（2010－2020年）

	実数（島根県）		10－20年増減率（%）	
	2010年	2020年	島根県	全国
農業経営体	24,929	15,285	▲ 38.7	▲ 35.9
うち法人経営	326	505	54.9	42.0
個人経営体	24,314	14,594	▲ 40.0	▲ 36.9
団体経営体	615	691	12.4	7.9
総農家	39,467	27,186	▲ 31.1	▲ 30.9
販売農家	24,190	14,397	▲ 40.5	▲ 37.0
自給的農家	15,277	12,789	▲ 16.3	▲ 19.8

出所：農林業センサス（2010年、2020年）。

わゆる「小さな農業」）の割合が高い地域である。中国山地の地理的・自然的条件下では、農家が農業所得のみで生活することが難しかったため、農業外所得、年金等の様々な所得を組み合わせて生計を立てていた。そして、多くの「小さな農業」が集まり、それぞれが兼業的・副業的・多業的な経済活動をしながら、島根県の中山間地域経済を作り上げていた。この経済は、「水田（米）＋里山（和牛、和紙、養蚕など）＋山（木炭）」の「有機的・連鎖的結合システム」と言われていた[4]。

　しかし、現在、島根県農業や中山間地域経済を支えていた「小さな農業」は急速に失われつつある。農産物販売規模別の農業経営体数の近年の推移（2010年〜2020年）をみると、「50万円未満」層は45.7％、「50〜100万円」層は35.5％、「100〜300万円」層は30.5％減少している。販売規模が小さくなるほど農業経営体の減少率が高くなる傾向がある。他方で、「5000万円〜１億円」と「１億円以上」の階層は増加傾向にある。「5000万円〜１億円」と「１億円以上」以外の階層は軒並み減少していることから、全体的に見れば、一部の大規模農業経営体以外は、徐々に減少する流れになっている。農業所得のみで生計を立てられる農産物販売規模を1,000万円（農業所得300〜400万円）とすると、それをクリアできる農業経営体は、全体の５％にも満たない状態となっている。

2-3 島根県農業の再生産問題

(1) 農業労働力の現状

島根県の基幹的農業従事者（ふだん仕事として主に自営農業に従事している者）の動向を図表3で確認すると、農業経営体動向と同じく、全国と比べても大きな減少率となっている。2010年の基幹的農業従事者は26,020人だったが、2020年には14,438人となり、半分程度まで減った。特に、女性の減少率（54.6％）が目立っている。また、農業労働力の高齢化も進行しており、島根県の高齢化率（65歳以上）は84.5％となっており、平均年齢は72.0歳に達している（2020年）。全国の高齢化率（69.6％）や平均年齢（69.6歳）と比較しても、島根県の数値は高くなっている。従来、日本農業の問題点として、稲作の高齢化率が高いことや、40歳代以下の基幹的農業従事者が10％程度しかいないことが指摘されていた。島根県農業の主力も稲作であり、全国と同じような問題点が浮き彫りになっている。島根県の40歳以下の基幹的農業従事者は全体の約5％であるのに対して、65歳以上は約70％を占めている（2020年）。

図表3 基幹的農業従事者の推移（2010－2020年）

	2010年			2020年			10-20年増減率（％）	平均年齢（2020年）
	実数	65歳以上	高齢化率	実数	65歳以上	高齢化率		
全国	2,051,437	1,253,477	61.1	1,363,038	948,621	69.6	▲ 33.6	69.6
島根県	26,020	19,723	75.8	14,438	12,202	84.5	▲ 44.5	72.0
男性	14,189	10,746	75.7	9,069	7,609	83.9	▲ 36.1	71.5
女性	11,831	8,977	75.9	5,369	4,593	85.5	▲ 54.6	72.7

出所：農林業センサス（2010年、2020年）。
注：2010年（販売農家）、2020年（個人経営体）。

加えて、農業経営体の後継者確保の見通しも難しくなっている。後継者の有無について、5年以内に農業経営を引き継ぐ後継者を「確保していない」と回答する割合が70.0％となった[5]。島根県の確保率は、全国と比べて若干高いものの、平均年齢（72.0歳）や高齢化率（84.5％）の高

さを考慮すると、十分な状況であるとは言えない。また、「確保していない」農業経営体の地域的分布をみると、吉賀町、益田市、西ノ島町、松江市、津和野町、川本町、海士町、浜田市、美郷町などが県平均（70.0％）を上回っている。未確保率が最も低い飯南町でも58.0％であり、特に県西部や離島などの未確保率が高いという特徴がある。

（2）農業部門への参入・退出動向

　「コーホート（cohort）」分析を用いて、島根県農業への労働力の参入・退出傾向をみても、年を追うごとに退出傾向が強まっている。コーホートとは、ある一定期間に出生した個人の集団のことであり、例えば、2010年に農業に従事していた20歳の農業従事者は５年後の2015年には25歳、2020年には30歳になっているため、農業分野からの移動や死亡がなければ、2010年、2015年、2020年の農業従事者の数は一致するはずである。つまり、コーホートの変化をみれば、基幹的農業従事者の参入や退出動向を把握できる。コーホートの変化がプラスの場合は、参入した数（就農者）が退出した数（離農者）よりも多いことを示し、マイナスの場合は退出傾向にあることを示している。

　図表４は、2010年～2015年（左図）と2015年～2020年（右図）の基幹的農業従事者の男女別のコーホート変化動向を表している。２つの図を比較すると、男女のほとんど全ての年齢階層で参入傾向が弱まり、退出傾向が強まっていることを確認できる。特に、参入に関しては、定年帰農（定年を機に第二の人生として本格的に農業を始めること）や田舎暮らし世代にあたる「55～59歳」、「60～64歳」、「65～69歳」の参入傾向が弱くなっている。全国的にも同様の傾向を確認できるが、島根県ほどではない。また、男性では特に50歳代以下、女性は「55～59歳」、「60～64歳」や「65～69歳」などの参入傾向が弱まっている。

　退出に関しては、男女ともに70歳代の退出傾向が強く、2015～2020年では60歳代以上の女性の退出数が多くなっている。図表３にあるように、

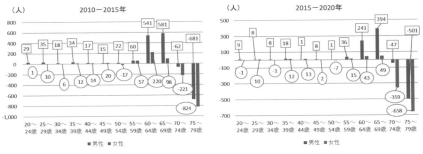

出所：農林業センサス（2010年、2020年）。
注：2010年（販売農家）、2020年（個人経営体）。

図表4　基幹的農業従事者コーホートの変化
（男女別、2010−2015年と2015−2020年）

基幹的農業従事者の減少率は、男性（36.1％減）よりも女性（54.6％減）が高かった。島根県では女性の割合は約37％まで低下しているが、その主な要因は60歳代以上の女性退出数が多かったためである。

　このように、近年の参入・退出動向をみると、①全世代にわたる参入傾向の弱まり、②定年帰農や田舎暮らし世代の参入減、③女性の退出傾向の強まり、等の特徴がみられる。こうした動向への対応としては、まず、比較的年齢が高い世代や女性が農業に従事しやすい労働環境を整備する必要がある。例えば、農業労働の負担を減らすために、ITやAI技術などのテクノロジーを組み合わせたスマートな農業生産、農業労働の働き方改革、ジェンダー平等による女性の農業経営参加への支援策などが求められるだろう。

　また、50歳代以下世代の参入傾向も依然として弱まっているため、若い世代の多様な就業ニーズに応えられる施策を講じ、島根県農業に関わる人口（いわゆる「農的関係人口」）を世代や性別を問わず確保していくことも重要である。現在、一定の成果が出ている新規就農（2013年以降、毎年160〜170人程度の新規就農者）や「半農半X」（2018年度末で64名）、UIJターン、移住・定住、地域づくり協力隊等の施策に加えて、農

業への間口を広げるさらなる施策展開が必要である。将来の島根県農業の「担い手」は、普段仕事として農業に関わる基幹的農業従事者や認定農業者だけでなく、農業に関わる度合いが比較的小さい農業従事者（15歳以上の世帯員で年間1日以上自営農業に従事した者）や多様な農的関係人口などから生まれることを意識していかなければならない。

さらに、多様な就農ニーズと農業側ニーズのマッチング機能を担う「特定地域づくり事業協同組合制度」（2020年）や「農村地域づくり事業体（農村RMO）」（2021年）などの活用を積極的に検討していくことも不可欠である。しかし、これらを適切に管理・運営していけるかどうかは、地域がもつマネジメント能力や自治力にかかっている。

3　島根県農業再生へのアプローチ

3−1　「小さな農業」支援による島根県農業の再生

島根県農業の再生を考える際に、国連が定めた「家族農業の10年」の議論が参考になる。国連は、2017年の国連総会で「家族農業の10年」（2019年〜2028年）を制定し、食料安全保障の確保や貧困・飢餓撲滅に大きな役割を果たしている小規模農業・家族農業（「小さな農業」）に関する施策の推進を加盟国に求めている。先進国、途上国に限らず、世界の食料生産額の8割以上を占めるのは「小さな農業」であり、日本や島根県においても例外ではない。これらは食料安全保障、食生活、生物多様性、自然資源維持や地域コミュニティの再生などの様々な面で重要な役割を担っていることが明らかになっているため、「小さな農業」への保護や支援はSDGs（持続可能な開発目標）の潮流と重なりながら、世界的なトレンドになりつつある。

また、欧州でも近年、「小さな農業」の存在や役割が改めて見直されている。今では企業的農業でさえも、小農的農業生産方式を見習わなければならなくなっていると指摘されている[6]。「小さな農業」は、市場（マーケット）から自立・自律するための3つの要素を備えており、内外の環

境変化に機敏に対応できる存在として再評価されているからである。その3要素とは、①「高付加価値化：グローバル・大規模食品流通からのシフト、有機農業や直接販売・農産加工など」、②「多角化：農業・農村観光や新しい農業活動、農業生産・経営の多角化、代替エネルギー生産など」、③「地域（資源）でいきる：エコロジー的循環などを利用した新しい生産様式、多就業化」）である。大きな企業的農業よりも、「小さな農業」の方が3つの要素を柔軟に活用でき、生産方法を機敏に変革できるとされる。実際、日本でも1990年代以降、「小さな農業」が中心となって「農産物直売所」、「有機農業」、「産直」、「6次産業化」、「集落営農」、「バイオマス」などが展開されてきた。

　また、2007〜2008年の食料価格高騰をきっかけにして、食料安全保障の要としての小農の役割が再認識されるようになったが、日本でも熊本地震（2016年）で地域の食料サプライチェーンが寸断された時、柔軟に対応したのは、地元の家族農業・小規模農業だった。近年では原材料価格高騰や食料サプライチェーンの世界的混乱の中で、地域社会に果たす「小さな農業」の存在意義が高まっている。

　結局のところ、農業の再生は家族農業や兼業農業などの「小さな農業」をいかに守り、発展させていくのかという問題に帰着する。図表5は、日本各地域の個人経営体（家族農業経営とほぼ同じ）の減少率と農業従事者の減少率を示したものだが、これをみると、「農業従事者の増減率と個人経営体の増減率の間には強い相関がある（相関係数r=0.94）」ことがわかる。家族農業経営（個人経営体）や農業従事者を維持できなければ、地域農業は縮小していかざるを得ない。この間、島根県は北陸や東海に続いて個人経営体や農業従事者の減少率が大きく、急速に農業が縮小する地域となっている。これは、前節（2−2）でみたように、島根県農業の主体が急速に失われているからでる。

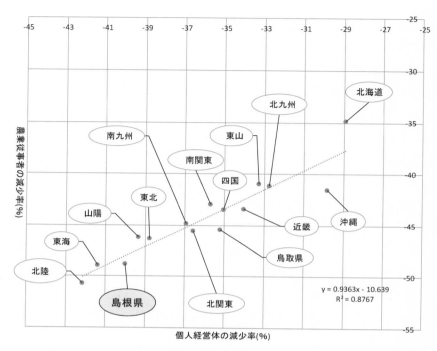

出所：農林業センサス（2010年、2020年）。

図表５　個人経営体減少と農業従事者減少率の相関関係

３－２　地域資源活用型の「６次産業化」・「複合化」の展開

　元々、島根県の中山間地域は、農林業を軸として豊富な地域資源を活用した「有機的・連鎖的」に結合した多業的な経済を構築していた。また、地域固有の資源と結びつく商品やサービスは、グローバル競争に巻き込まれにくいという特徴がある。こうした特性を考えると、島根県は自らの地域資源をより活用した「６次産業化」や「複合化」の内容を発展させていくことが求められる。

　農林業の６次産業化や複合化は、第１次産業である農林業が、農林産物の生産だけでなく、それを原材料とした加工品の製造・販売（第２次産業）、さらに観光農園、観光レストラン、グリーンツーリズムや農家民

泊のようサービス（第3次産業）を生みだしていくため、ほぼ全域が中山間地域である島根県にとっては重視すべき産業振興の考え方である。豊かな天然資源を利用した再生可能エネルギー（バイオマスや小水力発電など）の利用も地域内経済循環や雇用・所得対策になるだけでなく、世界的な脱炭素化や6次産業化の流れにも合致するだろう。

　また、高齢化が進んだ中山間地域では、医療・福祉分野と食料・農業分野が連動した商品やサービスへの需要が存在するため、それを基礎とした産業を構想すべきである。以前、島根県が進めていた「スモールビジネス育成支援事業（2020年）」（規模は小さくても、地域資源活用や6次産業化によって新しい商品やサービスを開発し、起業や創業、雇用創出などを促進）の考え方は島根県の中山間地域の特質にマッチした支援策だった。すぐに結果を出すことは簡単ではないが、その発想を継続していくことが重要である。さらに、「小さな農業」や6次産業化・複合化を支援するには、農協や集落営農の存在がますます大切になる。「小さな農業」の3要素（高付加価値化、多角化、地域資源で生きる）の展開には、営農・技術指導、生産資材の購入、販路の確保、資金、施設利用など、様々なサポートが不可欠である。

　そして、農業生産の共同化や協業化だけでなく、農業を中心として地域資源の共同管理、地域マネジメント、公益活動を一体的に進める仕組みも必要である。島根県はこれまで、「新島根方式」（1975年）や「地域貢献型集落営農」（2007年）など、全国的にみて先進的な支援を行ってきた。これらは、農業を中心にして地域資源の共同管理、地域マネジメント、「地域再生＝公益活動」を一体的に進める事業であり、年々、課題が多様化・複雑化している中山間地域の実情に即した支援策である。農林業を中心として地域を面的・一体的に守っていく体制を整えなければならない。

　最後に、行政支援の在り方に関しては、中山間地域問題の多様化・複雑化に柔軟に対応できる体制の構築を検討すべきである。現在の地域問

題は特定分野への個々の支援で解決できるほど、単純ではなくなっている。「地域政策の総合化」（農林水産省「新しい農村政策」、2021年）を現場レベルで有効に機能させるためには、ひとつの部署だけで立案・マネジメントするのではなく、地域振興部、農林水産部、環境生活部、健康福祉部、商工労働部、土木部、防災部等が一体となった横断的かつフレキシブルな体制が求められるだろう。

4．おわりに

　先進国・途上国に限らず、世界の食糧生産額の8割以上を占めるのは家族を土台とする小規模農業経営（家族農業経営）であり、それらが食料安全保障、食生活、生物多様性、自然資源維持やコミュニティの再生など、社会経済や環境、文化といった様々な面で重要な役割を担っている。アグロエコロジー（agroecology）[7]、国連の「家族農業の10年」や「持続可能な開発目標（SDGs）」等の動きは、現代の工業的農業・食料システムに代わる様々なオルタナティブとして認知されてきている。島根県農業の再生のためには、そうした潮流を見極めつつ、対策を講じていくことが肝要だと思われる。

【注】

1）島根県（2020）『島根県中山間地域活性化計画　2020－2024年度』。
2）特化係数が1より大きい産業は、全国と比べて特化しているといえる。
3）農業経営体の実態は販売農家に近く、農業経営体のほとんどが個人経営体で構成されているため、個人経営体は概ね販売農家に相当する。
4）永田恵十郎（1988）『地域資源の国民的利用』農山漁村文化協会。
5）2020年農林業センサス。
6）秋津元輝・松平尚也（2018）「小さな農業とは何か―世界的な小農再評価との連携」『農業と経済』1・2月合併号。
7）アグロエコロジーは、一般的には「環境及び社会にやさしい農業、その実践と運動、そしてそれを支える科学」と理解されるが、その本質は、「農薬や化学肥料を使用しないだけではなく、ますます巨大化する農業食料産業の

中で小規模な家族農業が経営を安定させ、持続可能な農業を営むための方策を示すもの」である。

関根佳恵「家族農業とアグロエコロジー」『日本農業新聞』、2016年6月5日付。

【参考文献】

小田切徳美編（2022）『新しい地域をつくる―持続的農村発展論』岩波書店

小田切徳美・藤山浩編（2013）『地域再生のフロンティア―中国山地から始まるこの国の新しいかたち』農山漁村文化協会

藤本晴久（2018）「島根県の農業構造分析：2005〜2015年農林業センサスを中心に」『経済科学論集』

保母武彦監修／しまね地域自治研究所編（2022）『しまねの未来と県政を考える―島根発・地方再生への提言〈2〉』

八木信一・関耕平編（2019）『地域から考える環境と経済―アクティブな環境経済学入門』有斐閣

島根県（2020）『島根創生計画　2020−2024年度』

島根県（2020）『島根県中山間地域活性化計画　2020−2024年度』

【付記】

本稿は、藤本晴久「第7章第3節　島根県農業の再生と中山間地域経済対策」（『しまねの未来と県政を考える』，自治体研究社，2022年）の内容を、大幅に加筆修正したものである。

COLUMN 13　牧場をきっかけに生産を考える

ダムの見える牧場　大 津 裕 貴

牧場の仕事

　牛の声をご存知でしょうか。やはり「モー」でしょうか。荒川弘『百姓貴族』（新書館）という農家漫画では「モー」と表現されることが多くあります。牧場で仕事をしている私のイメージも「モ〜」という感じです。ですが、普段の仕事中に牛の声を聞く機会は多くありません。牛が鳴くのは牧場で働く人に何かを伝えたい時や子牛を探している時、発情している時などです。ですから、牧場は意外と静かです。たまに、子牛のエサを与え忘れると、「モ〜」と聞こえてきます。

　ついついエサやりを忘れてしまうこともある牧場の仕事内容について、ダムの見える牧場の例を紹介します。牧場の仕事は搾乳・エサやり・そうじ・その他に大きく分けられます。搾乳は8時頃と18時頃から始まります。朝の搾乳までに牛舎の掃除を行います。朝と夕の搾乳の間は堆肥の配達や袋詰め、副資材の引き取りに草刈り、雪かきなど、その日に必要な仕事を行います。

食事のために、ゆっくりと牛舎に帰る牛（2023年11月21日撮影）

エサやりは朝夕の搾乳時に加え15時にも行います。ダムの見える牧場は放牧に取り組んでいるため、春や秋の天気の良い日はエサの時間になっても牛舎に牛が帰ってこないこともあります。なるべく牛時間に合わせますが、遅くなりすぎると人間も困ってしまうので、牛舎へ帰ってもらうように牛にお願いに行くこともあります。放牧地に人が来ると「あぁ、そんな時間か」とでも言うように牛舎へ帰ります。これが牧場の1日の流れです。

牧場を地域で支える

　牛の楽しみの1つであるごはんは、輸入飼料の確保が難しくなったことから注目が集まりました。島根県の統計値は発表されていないため、中国地方全体の様子を2015年と2021年の「畜産物生産費統計」で比較すると、最も大きく変化しているのはサイレージでした。サイレージは、牧草や稲を円柱状に成形し白いラップで包んだ発酵飼料です。木次乳業も飼料の地域自給を目指して日登牧場宍道牧草地でつくっています。2015年に比べ、2021年は86%分増加していました（乾燥重量で計算）。増加量が大きかったのはデントコーンや牧草を利用した自給サイレージでした。さらに、稲発酵粗飼料を中心に購入飼料も増加しています。サイレージの利用量に加え自給割合が高まっており、飼料確保の苦労が偲ばれます。また、飼料価格高騰の影響を受けた酪農家の離農が増加しているという報道もあります。

　では、海外情勢の影響を受けにくい畜産業は可能でしょうか。一つの考え方が低投入持続的農業（LISA: Low Input Sustainable Agriculture）です。畜産では、放牧技術の活用が期待されています。放牧中の採食で足りない栄養は酪農家が補い栄養管理します。今後、LISAのような酪農の姿を目指す場合、各牧場が十分な放牧地を持ち、牛が自ら歩いて草から栄養を摂取する割合を増やすことができるような、牧場の再配置を促す施策が考えられます。住宅地の外側に放牧地を配置することで野生動物と人の居住域との緩衝帯の役割も期待されます。

牧場で生まれる生産者と消費者の交流

　また、ダムの見える牧場は日ごろの生乳生産だけでなく、酪農教育ファームやバターづくり体験の活動も行っています。さらに、2021年末には「牛になって年賀状写真を撮ろう！」という企画も行いました。2022年丑年の年賀

状用に、牛のコスチュームを着用して放牧地内で牛と一緒に写真を撮るという内容です。参加者からは、「牛の鼻息って、思ったよりすごい」「寄ってくると怖いわ」「意外と逃げる」などさまざまな反応をもらいました。牧場の来場者は幼稚園、保育園や小学校等の受け入れを含めて、直近の2022年度は1,640人でした。さらに、放牧地を眺めている方も多くいらっしゃいます。経営者の大石氏が目指す「何度も足を運びたくなるような公園のような牧場」（大石、2021、2頁）に近づいてきているのかもしれません。

　ダムの見える牧場で生まれているような生産者と消費者の交流は、かつて、斐伊川を結ぶ会や「たべもの」の会、木次に集う会などでも行われていました。会の様子は北川（1989）や大津ら（2024）で紹介されています。現在でも、生産者と消費者の交流が進み生産の様子まで知る人が増えれば、放牧技術を活かすための妙案を話し合うこともできるかもしれません。乳製品の生産まで含む将来の酪農（食料生産）や食育の姿についても共通認識を持てる可能性もあります。その第一歩として、ダムの見える牧場に牛を見に来てみてはいかがでしょうか。バターづくり体験は奥出雲町観光協会から予約できます。

　皆様のお越しを、お待ちしています！

【引用・参考文献】

荒川弘『百姓貴族』新書館，2009年から刊行中

北川泉「流域文化と酒の会」日本経済新聞1989年9月14日，36面

大石亘太「私たち家族のこれから（2）」『モーモータイムス』2021年No.2，木次乳業，2021年，2頁（木次乳業HPで閲覧可能）

大津裕貴・李婉・田中奈緒美「出雲地域における食の安全を求めた地域ネットワーク」『山陰研究』16，島根大学法文学部山陰研究センター，2024年

「住み続けられる農村環境」のための集落営農

しまね地域自治研究所　塩冶隆彦

1. はじめに

　島根県では、昭和50年代から「新島根方式」と呼ばれる農山漁村の集落振興事業が取り組まれました。集落振興のために何が必要かを話し合い、その取り組みに対して県・市町村が財政的支援を行うものでした。その中で、集落営農の取り組みが生まれ、集落営農への支援は、内容の変化はありつつも現在に至るまで続いています。

　このような行政からの支援もあり、2022年の集落営農組織は673組織、うち法人は265法人（県ホームページより）となっていますが、厳しさを増す経営環境と構成員の高齢化の中、組織存続の問題が表面化してきています。

2. 全員サラリーマンで法人を設立・継承＝城九郎の事例

（1）法人の概要

　(農)城九郎は、益田市の中山間地にある集落営農法人（2017年設立）で、現在12haの水田で水稲を栽培しています。組合員15名は全員がサラリーマンで、50歳以下が8名と「若い」組織です。

（2）若手の「決意」を促したもの

　法人設立の3年前に集落営農組合（任意組織）を立ち上げたものの、個人農家の集合体では働き手のリタイア後の経営移譲も不透明。組織の後継者対策として、直ちに若手との話し合いを始めました。地元への定住や農業の継承、地域の維持への考え方について本音の話し合いが続きました。

　話す中で、地元に住むことや農業を継ぐことは「（長男として）仕方ない」と思い、農地を荒らすことへの抵抗感はありつつも、その気持ちはいつ壊れるかわからない不安定な状態である。また、個人でできることへの限界感や地域への思いが強い人ばかりではない状況が、地域の荒廃を防ぎたいという気力を萎えさせるときがあることがわかりました。

　話し合いは個々の農業経営の状況（機械に多額のお金を投資、赤字を給料で埋めている等）の確認から解決策の検討へ。法人を設立して農機具を集約し、共同作業で効率化を図れば、給料から農業の赤字を埋めなくて済む上に

お金が残る、効率化で得られる利益で地域環境を維持していけるという展望と確信が若手に生まれました。

(3) 「地域を守る」という理念と法人の経営

　城九郎は「農地を守り、地域を守る」という思いから生まれました。サラリーマンの組合員が協力し合って目標を達成する組織です。経営ルールは「日々の生活は給料でまかなう」ことを前提に組み立てられ、法人からの配当は「もらえなくても当然」という感覚になっています。役割に応じた役職手当はあるものの、作業日当は最終利益の範囲内で分配することを確認しています。実際、最低の年は200円/時間でしたが、特に不満はありませんでした。作業を楽にする機械への投資などに経費をかけ、農業（農地の維持）や草刈りなどの環境整備が収支トントンで楽にできれば十分との感覚での経営です。

　地元の若手は、農作業を「サークル活動」的に楽しんでいる雰囲気があり、友人や職場の同僚にも参加を呼びかけた結果、地元に全く縁のない人が法人に加入しています。

3．おわりに

　集落営農法人の経営継承のため、平坦地では法人合併による規模拡大で収益を拡大し、専従者を確保していこうという動きが見え始めています。畦畔管理の時間が少なく、転作にも取り組みやすい地域では当然の選択肢です。しかし、中山間地ではなかなか難しいのも現実です。集落営農の最終目標が「住み続けられる農村環境」の実現にあるならば、城九郎のような経営上の「割り切り」も必要ではないでしょうか。

　法人の若手は、将来は今の仕事のスキルを活かし、法人で仕事を請け負って生活の糧を稼ぎ、農業部門は、あくまでも地域貢献との位置づけで経営する「構想」も語っていました。生活に不可欠なサービスを提供する事業者がいなくなりつつある中山間地では、今後、集落営農法人が農業に取り組みながらも「営農」の枠を越え、「生活関連事業を運営する会社」になっていく流れが強まるかもしれません。かつて島根県が実施していたような「地域貢献型集落営農」への支援が必要となってきます。中山間地域の維持を目標に、従来の縦割り行政の枠を越えた支援策の構築のため、現場と行政が議論し、知恵を絞ることが必要な時です。

あとがき

　2014年9月29日、安倍首相（当時）が国会冒頭演説において島根県海士町を取り上げ、「地方創生」をぶち上げて以来、早10年が経とうとしている。にもかかわらず、本書の冒頭でも述べたように、地域における疲弊感は募るばかりという、厳しい現実がある。

　安倍演説のメッセージは、「やれば、できる」であった。果たしてこの"メッセージ"は妥当なものであったろうか。当時の石破茂・地方創生担当大臣は、「うちの街を良くするために、と地方から（案を）言ってくれば人も出すし、お金も支援するが、やる気も知恵もないところはごめんなさいだ」（日本経済新聞2014年9月14日付）と述べている。「やれば、できる」というメッセージと、この石破発言を合わせて読み解くならば、「『やる気も知恵もない』（と国に判定された）地域は、生きるも死ぬも自己責任」ということを公言したといえるのではないか。

　実際に、三位一体改革で大幅に削減された地方への財源保障機能が回復することはなかった。結局、国がいうところの地方創生とは全体として、地方早世、つまり、地方が「早く世を去る、早死に、若死に」することを意味していたのではないかとさえ思わせる、この10年であった。

　「地方消滅」をてことして―定住人口の奪い合いなどに見られる―さながら生存競争のような激しい自治体間分断・競争をあおる地方創生政策は、自律的発展を求める地域の実践によって乗り越えられなければならない。本書では、そうした地域における実践が積み重ねられつつあることを、具体的に示せたのではないか。

　目次をご覧いただければわかるように、本書は研究者から現場で実践する方々を含め、多くの執筆者に恵まれ、地域社会を取り巻く広範な領域における実態や、再生に向けた模索、希望の芽を示すことができたと自負している。一方で、体系的な政策・制度構築への指針を示すまでには至っていない。本書が発信する多様なメッセージを受け取っていただ

き、体系的な政策・制度構築を求めながら、山陰の暮らしを次世代につ
なげていくことは、読者の方々にゆだねられている。本書が、ともに考
え行動するきっかけになることを、執筆者一同、心から願っている。

2024年3月

執筆者を代表して　関　耕平

■各章 執筆者一覧

藤本 晴久（ふじもと はるひさ）FUJIMOTO Haruhisa（はしがき　第7章　第9章）
　現職：島根大学法文学部准教授（地域経済論・農業経済論）
　主著：『アグリビジネスと現代社会』（筑波書房、共著、2021年）

関　耕平（せき こうへい）SEKI Kohei（第2章　COLUMN05　あとがき）
　現職：島根大学法文学部教授（財政学・地方財政論）
　主著：『地域から考える環境と経済』（有斐閣、共著、2019年）

毎熊 浩一（まいぐま こういち）MAIGUMA Koichi（第1章　COLUMN02）
　現職：島根大学法文学部教授（行政学）
　主著：「『地域おせっかい会議』研究序説─地方自治論の新地平を望む」『季刊 行政
　　　管理研究』第185号（行政管理研究センター、単著、2024年）

飯野 公央（いいの きみお）IINO Kimio（第3章　COLUMN04）
　現職：島根大学法文学部教授（経済政策・地域政策）
　主著：『三江線の過去・現在・未来』（今井出版、共著、2017年）

田中 輝美（たなか てるみ）TANAKA Terumi（第4章）
　現職：島根県立大学地域政策学部准教授（地域社会論・関係人口論）
　主著：『関係人口の社会学』（大阪大学出版会、単著、2021年）

宮本 恭子（みやもと きょうこ）MIYAMOTO Kyoko（第5章）
　現職：島根大学法文学部教授（福祉経済論・社会保障）
　主著：『越境する介護政策─日本とドイツの介護保障システムの検証』（日本評論
　　　社、単著、2021年）

佐藤 桃子（さとう ももこ）SATO Momoko（第6章）
　現職：島根大学人間科学部講師（社会福祉・子ども家庭福祉論）
　主著：『子どもと地域の架け橋づくり』（CLC出版、共著、2020年）

植木　洋（うえき ひろし）UEKI Hiroshi（第8章）
　現職：鳥取短期大学生活学科情報・経営専攻准教授（社会政策論・人事労務管理
　　　論）
　主著：「日系ブラジル人労働者と業務請負業者─島根県出雲市を例に─」『労務理
　　　論学会誌』第32号（晃洋書房、単著、2023年）

■コラム 執筆者一覧 （掲載順）

板垣 貴志（いたがき たかし）ITAGAKI Takashi（COLUMN01）
　現職：島根大学法文学部准教授（日本近現代史）
　主著：『牛と農村の近代史―家畜預託慣行の研究』（思文閣出版、2013年）

嘉村 雄司（かむら ゆうじ）KAMURA Yuji（COLUMN03）
　現職：島根大学法文学部准教授（企業法）
　主著：嘉村雄司「火災保険水災料率の細分化に関する議論の現況」島大法学67巻
　　　　1・2号37頁（2024年）

濱中 香理（はまなか かおり）HAMANAKA Kaori（COLUMN05）
　現職：海士町役場・郷づくり特命担当課長／海士町教育委員会・共育課長（兼務）
　2020年より離島への若者の還流を起こす「大人の島留学」を開始。現在は若者が
　来てよかったと思えるような「郷づくり」に奮闘中です。

永見 すみれ（ながみ すみれ）NAGAMI Sumire（COLUMN05）
　島根大学法文学部法経学科3回生

西村 茉奈美（にしむら まなみ）NISHIMURA Manami（COLUMN05）
　島根大学法文学部法経学科3回生

黒岩 大史（くろいわ だいし）KUROIWA Daishi（COLUMN06）
　現職：島根大学総合理工学部教授（凸解析・集合値解析・最適化）
　主著：On set-valued optimization（Nonlinear Analysis-Theory Methods &
　　　　Applications, 単著, 2001年）

瀬戸 和希（せと かずき）Seto Kazuki（COLUMN06）
　現職：島根大学数理・データサイエンス教育研究センター助教（凸解析・集合値
　　　　最適化）
　主著：A systematization of convexity and quasiconvexity concepts for set-valued
　　　　maps, defined by l-type and u-type preorder relations（Optimization, 共著,
　　　　2018）

堀西 雅亮（ほりにし まさあき）HORINISHI Masaaki（COLUMN07）
　現職：島根県外国人地域サポーター（出雲市）、こどもサポートプロジェクト代表、
　　　　多文化"結"の会代表、松林山真宗寺住職
　1995年より日本語教育、技能実習生の受入れ等に従事。2010年から出雲市を拠点
　に、子どもの居場所づくり等、多文化共生の活動に携わる。

大木 理之（おおき ただし）OHKI Tadashi（COLUMN08）
　現職：NPO法人フードバンクしまねあったか元気便　事務局長

森脇 建二（もりわき けんじ）　MORIWAKI Kenji（COLUMN09）
　現職：2010年より、一般社団法人島根県経営者協会　専務理事
　島根県内の経営者の組織の専務として、企業価値向上やガバナンス強化を図って
　いる。

景山　　誠（かげやま まこと）　KAGEYAMA Makoto（COLUMN10）
　現職：日本労働組合総連合会島根県連合会（連合島根）　事務局長
　　　　パナソニックインダストリー㈱から出向し、2019年から現職。

吉岡 佳紀（よしおか よしのり）YOSHIOKA Yoshinori（COLUMN11）
　現職：株式会社いづも農縁　代表取締役　島根県中小企業家同友会　政策委員長

吉田　　修（よしだ おさむ）YOSHIDA Osamu（COLUMN12）
　現職：島根大学　オープンイノベーション推進本部　URA

大津 裕貴（おおつ ひろたか）OTSU Hirotaka（COLUMN13）
　現職：ダムの見える牧場職員

塩冶 隆彦（えんな たかひこ）ENNA Takahiko（COLUMN14）
　現職：しまね地域自治研究所理事
　1983年4月より2024年3月まで、島根県職員として農業振興の業務に携わる。

山陰研究ブックレット13
地域社会の持続可能性を問う
―山陰の暮らしを次世代につなげるために―

2024年3月31日　第1刷発行
2024年7月3日　第2刷発行

著　者　　藤本晴久　　関　耕平　　毎熊浩一
　　　　　飯野公央　　田中輝美　　宮本恭子
　　　　　佐藤桃子　　植木　洋

発　行　　島根大学法文学部
　　　　　　山陰研究センター
　　　　　〒690-8504　島根県松江市西川津町1060

印　刷　　今井印刷株式会社
製　本　　日宝綜合製本株式会社

『山陰研究ブックレット』刊行のことば

　山陰は人口減少時代を一歩先に経験しながら、そこには豊かな自然と誇るべき文化、経済、社会が生きています。島根大学では多くの教員がこの山陰地域の研究に取り組んでいます。2004年に発足した法文学部山陰研究センターは、地方文化の創造、地域社会の文化水準と生活水準の向上に寄与することを願って、山陰地域の文化・教育・経済・社会・自然などの諸問題についての研究を推進し、大学内外の研究者によって構成された山陰研究プロジェクトによる共同研究も行っています。

　かつて島根大学では開学十周年事業として作られた山陰文化研究所により「山陰文化シリーズ」が企画され、多くの人に愛読されてきました。このよき伝統を引き継ぎ、発展させることを意図し、山陰研究センターにおいても、共同研究の成果を広く地域社会の共有財産とすることによって、地域社会の生活と文化をより豊かにすることを目指しています。このため、分かりやすく、興味深い内容の単行本として、「山陰研究シリーズ」4冊の刊行を実現してきましたが、これに引き続き「山陰研究ブックレット」を刊行していく計画を立てました。

　昨今の出版事業の厳しい中、少部数発行の地方出版のこととて、その前途には険しいものがあります。それだけに、読者の皆様には各方面で本ブックレットを紹介し活用していただくなど、格別のご理解とご協力を得て、所期の目的を達成したいと思っています。

2012年3月